国家出版基金项目
NATIONAL PUBLICATION FOUNDATION

《三联经典文库》

第二辑

2012 年国家出版基金项目

三联经典文库

101

游击战教程

明凡 著

生活·讀書·新知 三联书店

图书在版编目(CIP)数据

游击战教程 / 明凡著. -- 北京 : 生活·读书·新知三联书店, 2014.1
（三联经典文库第二辑）
ISBN 978-7-108-04602-4

Ⅰ. ①游… Ⅱ. ①明… Ⅲ. ①游击战－教材 Ⅳ. ①E831

中国版本图书馆CIP数据核字(2013)第155644号

101 游击战教程

责任编辑 卢 莹
封扉设计 蔡立国
责任印制 徐 方
出版发行 生活·读书·新知 三联书店
(北京市东城区美术馆东街22号)
邮 编 100010
经 销 新华书店
印 刷 北京市松源印刷有限公司
版 次 2014年1月北京第1版 2014年1月北京第1次印刷
开 本 787毫米×1092毫米 1/32 印张 5.875
字 数 79千字
定 价 22.00元

《三联经典文库》出版缘起

适逢生活·读书·新知三联书店八十华诞，为弘扬传统，接续文脉，回报读者，服务社会，我们决定策划出版《三联经典文库》。

1932年7月，生活书店在上海创办，此后，读书出版社和新知书店相继成立。本文库第一辑、第二辑所选图书，来自于这三家出版单位及其分支机构，以及1948年生活·读书·新知三联书店成立后的出版物，始于1932年，截至1951年，两辑各一百种。此为第二辑，涉及政治、经济、社会、军事、思想文化诸领域，涵盖专著、文集、散文、小说、诗歌、传记、报道等体裁，既有直面现实、追求真理、讴歌真善美、抨击假恶丑的原创作品，又有引介世界各国先进文化、传播新知、开启民智的迻译之作，真实记录了那一代知识分子的思考与探索、理想与愿景和对中华民族文化传承与创新所做出的努力与贡献。

本文库所辑入各书，多为名家名作，在版本方面，以初版一印本或经著译编者审定、修订、增订过的版本为首选，因此本文库又具有较为珍贵的版本价值和收藏价值。

本文库还将编选续辑，使之成为恢弘文化工程。诚挚希望读者给予批评和指正，帮助我们完善编选工作，再现三联经典作品之风采。殊为遗憾的是，由于年代久远，一些原著译编者及其后人未能取得联系并奉付稿酬，诚盼版权所有者与我们联系。祈愿三联前辈所创造的精神财富能薪火相传，为中华文化的伟大复兴增光添彩。

《三联经典文库》编辑委员会

2013 年 8 月

凡　例

一、本文库为重排本，由繁体字竖排版改为简体字横排版。

一、以忠实于原作、整旧如旧为编辑原则，对当时使用的专有名词、外文译名，以及民国时期的语言和特色予以保留。

一、原书注释如旧，编者所出的注释，均以“编者注”标明，以示与原书注释的区别。

一、对原书残缺或字迹漫漶之处，以□示代。

一、对繁简文本转换时的“如右”、“见左”一类，对应改为“如上（前）”、“见下（后）”。

一、对原书中各种错讹脱衍之处，直接订正，不再以其他符号标示。

一、对数字、标点符号的用法，在不损害原文语义的情况下，做必要的规范。

一、本文库各书均前插原书书影、原书版权页和文库版“本书出版说明”。

一、本书出版说明的撰写，以客观中立为原则，扼要介绍本书的内容、版本流转、著译编者的情况。

本书出版说明

本书是在抗战全面爆发的形势下出版的，它指出了全面抗战下的游击战的特质，以及游击战在配合主战场或其他兄弟部队战斗的过程中所应起的作用。这本书不同于当时众多的讲游击战术的书，它不只谈战术事实，而且涉及与游击战相关的很多方面，如怎样发动游击战、游击队的训练、游击队的政治工作，以及游击队的侦查警戒与破坏工作、游击战胜利或者失败后应如何处置等；对每一个问题的探讨，都指出它依据的原则，使从事发动游击战的人员既能把握原则又能灵活运用。可以说，这是一本比较全面的讲游击战的书。

本书由读书生活出版社于1938年9月初版。此次出版，即以初版为底本。

作者明凡，具体情况不详。

生活·读书·新知三联书店

2013年8月

读书生活出版社 1938 年 9 月初版书影

一九三八年九月初版

游擊戰教程

著者　明凡

特約代售　讀書生活出版社
漢口交通路三一號
廣州教育路銘賢坊三號
重慶武庫街一〇〇號
成都祠堂街三一號
上海靜安寺路斜橋弄七十一號

經售處　全國各大書局

實價國幣四角五分

原书版权页

目 次

献给读者

亲爱的读者诸君：我首先得向您们深深地表示歉意，这本册子应该早就和诸君见面了，为了过分忙碌，竟一直延迟到现在才脱稿；而且正因为太忙写得非常草率。

这本册子一开始确定了名称交给我，可是，我下笔的时候，曾仔细考量了一下，仅只谈一般人所认为的刻板战术，事实上决不够，所以为着诸读者的要求，就大胆地跨出了旧战术的领域，而牵到其他许多如“怎样发动游击战”、“游击队的训练”、“游击队的政治工作”等琐碎的问题。

不过，我认为这些问题在实际上都和游击战术有密切的关系，要研究游击战术，就非同时解决这些问题不可。深信读者一定能同意这一点的。

目前游击战术一类的小册子，的确如雨后春笋般迅速地滋长着，读者跨进书店的门槛，头就开始有点发昏，手从袋里摸出钱来，不知买那一本才好。

在这里，我可以负责做一个总的介绍：无论它是理论抑经验，每一种都具有它的优点，多少可以供给我们一些研究的资料。现在，这儿又给你们添上一本了，这一本内容怎么样呢？读者看完以后自然在各人心头会浮起一个切实的解答，不过我可以先告诉你们几点：

一、写这本册子的时候，就注意各问题的广泛包罗，免得读者零零碎碎的东翻西找。

二、处处指出全面抗战底下的游击战的特质，以及游击战在中心任务中的合法应用。

三、每一个问题的探讨，都明显地指出它依据的原则，使从事发动游击战的同胞能把握住作活的运用。

四、冲破了一般人旧的理论与经验的范畴，把游击战术的每一个部门问题，都作了新的开拓，展开了游击战术时代的新的姿态。

无疑义的，这本册子在今天也还是不够。因此我诚恳地盼望各游击战术法家和一般读者诸君，能不客气地起来指正错误和缺点，待再版时修改和补充。那么，作者个人固然荣幸万分，感谢不已，特别对游击战术的前途，全面抗战的前途，有不可思议的利惠。

亲爱的读者诸君，咱们拉着手行一个预祝全面抗战胜利的敬礼吧。

明凡　一九三八，三，一三。

游击战术的定义

一　游击战术是什么

一般没有研究过游击战术的人们，一提起游击战术这名词，眼前立即像憧憬着一群男男女女，老老少少的人们，穿了红红绿绿，长长短短的衣裳，手里挟了扁担，锄头，钉钯，镰刀，鸟枪，快枪……各式各样的武器的斗士们，潜伏在漆黑的山谷或树林深处，待敌人来到切近，或酣睡的时候，突然跳出来给了敌人一个意外的重的袭击。

刹那间那群斗士们，又要像轻烟般向太空里飘渺得无影无踪；大地上只留下受了重创的敌人，抚着几具肉的尸体，仓皇，懊丧，哭泣，咒骂……

另一般人则把游击战术看成传统的土匪战术，以为现在所说的游击战术和土匪战术完全没有分别。

再一般人则把游击战术看成一种落伍的幼稚的战术，以为全面抗战中没有办法对付敌人，只好引用这种落伍的幼稚的战术，和敌人作消极的斗争。

其实这些说法，都是埋没了游击战术的本义。为使游击战术在全面抗战中迅速的继续发展下去，而生出它伟大的效果，在这里，对以上几种说法，必须加以严正的批判，把真正的游击战术的意义表扬出来。

要了解游击战术的真义，必须先从本质上说明它。

游击战术是弱小民族或任一种弱小力量，为着自卫，对强暴的侵略者斗争所必须采取的战术。因为弱小民族本身的力量有限，抵抗强暴的侵略者，如果只在质和量上打算，从正面斗争，事实上必然如卵敌石，决没有胜利的可能。所以只好借广泛的全民的力量，四面八方起来游击敌人协助主力战斗，使敌人应接不暇，而至败溃。

那么，在这里，至少可以说，本质上游击战术不仅不是一个消极的落伍的表现，而且是一个积极有效的进步的行为；它不是因为抗战抗得没有办法而引起的副作用，而是一开始就立在抗战的主导地位上，拿行动去作整个局势的胜利的决定的。

因此，游击战术基于本质的地位重要，既不能不负责任似的狡狯，光是一打就跑；更不能像土匪那样，没有政治意义没有中心目标的胡打胡闹。

总之，游击战术是弱小民族基于解放运动的理论基础反映出的伟大的反压迫反侵略的政治行为。它虽然是辅助正规战对敌人——侵略者战斗的一种辅助战术，然而它肩负的时代使命却非常重大。为达成它负的使命，不仅躲在某个角落上不断的去袭击，骚扰，破坏敌人，而且要向大局着眼，配合主力的正规战极力去牵制敌人，迷惑敌人，分散敌人，阻绝敌人，以使我正规战容易开展而获得全部胜利。

所以游击战术，固然要运用智谋技巧，企图以极小的牺牲，换取最大的成功，但也决不能先为保持自己的实力打算，永抱着逃避主义，一打就跑，甚至不敢露面。当它熟审客观环境，估计主观的力量不足以克服敌人，而且整个意义上并没有“硬打”的必要，就可以暂时“化整为零”从事散兵活动；如果一发现敌人的弱点，或此刻整个局势上需要积极从这方面牵制敌人，或阻绝敌人，那么立即就得“集零为整”不顾一切，以迅雷不及掩耳的手段，予敌以严重打击，这称为游击战术。

二　游击战术的基本任务

游击战术的基本任务，在前一节中，可以说已经把它描画出来了；现在更具体一点说：

一、暴露敌人的力量。

在这一任务底下，游击战术执行的方法，在运用一般搜索与侦察及威力搜索与侦察，去探听敌人的虚实。就是说，看看敌人兵力大小，配备状况，并调查一切有关战事的力量。这不仅为了游击队向敌人进攻便利，并且要把重要的情报及时递送各友军或方面军指挥部，以为军事上策动的参考资料。

二、减弱敌人的力量。

为使我主力战容易开展，并逐渐减弱敌人侵略的力量，以达持久战消耗战的目的，游击战术必须从多方面不断的去袭击敌人。

袭击的意义，并不是一定要达成如何的预想程度，如果能运用神速果敢的动作，扑灭了敌人一部分，这当然是减弱敌人力量最有效的一着。但没有能扑灭敌人而牵制了敌人，分散了敌人，相当破坏了敌人，使它在侵略行为上不能首尾相顾，或力量集结，这也是减弱敌人力量的有效方法。

不过当履行这一项任务的时候，应该特别注意：不能单纯的从消极方面着想，只埋住头躲在某个角落上，以为今天去杀敌人两个哨兵，明天去抢敌一袋粮食，后天再截获一匹马，也算达成减弱敌人力量的任务了。这简直是错误的！虽然不能说这样就像土匪的战术，但这决不能算全面抗战的游击战术，因为光这样去减弱敌人的力量，事实上是和全面抗战脱节的。

所以为执行第二项任务，一方面要不断的尽可能去零零碎碎的减弱敌人力量；另一方面，尤要向全般抗战局势着眼，务求配合主力战而作积极的牵制，分散，破坏敌人的有效工作；以求在整个战局，使敌人的力量形成减弱的状态。

三、消灭敌人的力量。

想很轻便的把敌人的力量消灭去，当然是不可能的事；要消灭敌人的力量，还是要从减弱敌人的力量做起。可以说，以减弱敌人的力量为手段，而悬消灭敌人的力量为鹄的。

不过在消灭敌人的力量方面，也有几个积极有效的办法：

1. 迷惑敌人——运用种种技巧，使敌人迷惑然后以轻兵击之，可以收歼灭的效果。譬如替敌人当“向导”，把敌人引到地势最不利的方面去，或引到我埋伏部队的中间去，使敌人仓皇不及防范而中我诡计。

2. 饥困敌人——所谓饥困敌人就是用“坚壁清野”的办法，把所有的粮食都收藏到秘密地点，或远处去，自来水管和井都堵塞或破坏了，甚至于房子也烧了它，人完全逃开去；敌人处在这样境况中，再遭受游击队或正规军队的进袭，即使不完全消灭，也必然立足不住。

3. 毒害敌人——把所有的食物及饮料中都投以毒物，使敌人一部分遭受毒害而死，其他亦感受饥渴。

总之，游击战术的基本任务，在广泛的运用种种手段打击敌人，即使不能全部消灭其实力，亦必亟谋消失敌人侵略的意志。

怎样发动游击战

三　发动游击战的原则与要领

抗战一开始，甚至于在抗战之前，广泛全民的游击战，就应该有计划有步骤地发动起来。然而事实上，平津失陷以后，西战场东战场又相继动摇，大众才开始看出以单纯的军队抗战是不够的。同时平津一带人民自发组织的游击队，已燃起光辉的火焰。因此，特别到了现阶段，军事上节节遭受挫败，发动游击战的呼声才逐渐响入云际。

这的确是一个伟大的悲壮的呼声！我们不愿亡国的热血的同胞，必须立即起来响应而且行动。

发动游击战有三个主要的原则：

一、必须全面，全民性的。

游击战术在全面抗战中不是一个点缀品，只在某一个方面组合一小部分勇士，决担任不了这伟大的使命，它必须把整个民族做对象，在全面上广泛的发动着，使每个同胞都能通过这游击战的关系，真正为抗战尽力。

二、不仅作军事上的发动，尤要作政治的发动。

游击战术是整个弱小民族解放运动的政治反映的武装行为。它的生命与行为，完全仰赖着政治的力量维系，如果游击战的发动仅着重了军事而忽略了政治，结果大众虽然在某种条件，或环境底下勉强集合起了，可是心和散沙一般，没有一定不变的坚强意志，很容易屈服，消沉，懦怯，甚至投降。这样的游击队发动起来，不仅不能给抗战以助力，有时反会给敌人收买利用成为汉奸的队伍！因为它缺乏政治的了解与自发的敌忾心。

三、不仅在已沦陷的土地里积极发动，其他地方特别临近战区，或认为今后战略与政略的重点地带中，必须预作准备同时发动。

过去因为没有事先注意到游击战术在抗战中的需要性，以至昔日东北义勇军和今日各地的游击队等，都是在土地沦陷以后才在摸索中生长发育起来，先天既没有组织和训练，后天又立即遭受敌人的摧残与压榨，工作方面形成格外的艰苦，工作效率更因之降低，这在整个局势上说是一个“人为”的损失！如果很早就注意了这一点，我想目前各地游击队的力量，一定更强大，给敌人的打击更重。

其次谈到发动游击战的要领：

一、知识分子要以身先导，因为知识分子是社会的群众的当然领导者，在这全面抗战面前，对一切都应该有一个清楚的认识，为使游击战术迅速的在全面上展开，而且是一个政治意识坚强的队伍，知识分子必须首先走进去而且积极领导着。

如果知识分子到了这步田地还只在单纯的理论着，而不行动起来，空谈误国，简直是民族抗战的罪人。

二、发动游击战要利用和捕捉民众仇敌的心理，迅速加以组织与训练，譬如河北清丰县[1]有两百个日本兽军，轮奸五十几个青年妇女，立即激起几千农民，这正是发动的绝好时机。因为这时候群众虽然没有整个国家民族的意识，但在狭隘的观念中，自发地要求报仇雪恨，

---

[1] 清丰县，民国时期曾隶属河北，今隶属河南。——编者注

群情是鼎沸的，只要稍稍加以政治的渲染，立即可以炽起十万丈高的抗敌火焰。

三、在群众面前要动以切身的利害关系，基于大众自卫的要求，发动组织与训练。因为中国大众的民族意识很薄弱，知识水准又低落，如果说“怎样发动游击战”、“怎样争取全面抗战的最后胜利”，决不会引起大众的兴趣，甚至相反的畏缩起来。所以必须从群众本身的利害关系说起，使群众自发的感到立即有组织与训练的必要，然后再慢慢加强民族抗战的政治意识。

四、在敌人没有占领的地区里发动游击战，不必采用游击队的名义，加强原有的保甲组织与训练，同样能达成目的。这一方面可以避免某一种不必要的磨擦，同时中国大众，特别是农民，始终停留在传统的保守与和平的思想中，因而形成懦弱苟安的状况，当听到“游击”两个字立即会恐怖起来！在他脆弱的脑海中，真不知要使他“游”到什么地方去“击”。那样反而会部分阻碍了游击战的发动。

五、在后方发动游击战的组织与训练不要整个妨害了群众的生活，如果使群众的生活方面发生过分的不便，会减少群众参加的热度甚至起来反对。顶好利用大多数空闲的时间，施以政治与军事的训练，民众既乐于受训，又安心受训。

六、在已陷落的地区中，也得相当注意民众的生活方式与时间，不过那应该容易处理些，因为民众在敌人的蹂躏下，本来就安不下心来。

四　游击队的人员

人员是组合游击队的主要因素之一，而且这不仅是量的有无，或多寡的问题，质的优劣精粗，尤足以影响游击队战斗的强弱。

当一般人组合游击队之先，总深怕人员没有来源，换一个说法，总在希望人能够多些，形成浩浩荡荡的声势，这种观念在直觉上看，的确是对的。我们游击队的声势愈大，给日寇的打击愈深，对全面抗战中部分的任务，愈容易达成，但是我们一开始就希望拥有很多人，事实上必然引起许多问题：

一、当游击队初初成立，参加的人不见得很多，希望过高适足以打击勇气与决心，而形成消极。

二、只求量的激增，必然忽略了质的选择，招致汉奸分子混迹其间。

三、毫无根底，突然拥有大量人员，运动与给养均感困难，甚至中途瓦解，或被敌人击溃歼灭。

所以游击队在初起，应该特别考虑自己的环境，不必专门计较人数的多寡，三个人可以成立一个游击队，五个人乃至几千个人，也可以成一个游击队。

游击队顶好把群众与基干分清楚。群众是无限制的，只要有热血有骨气不甘心当汉奸的中国人，甚至外国人。他们赞助游击队，而且他们能实实在在的协助游击队斗争，这些人不必整个把他们吸取到游击队里来，当然事实上也没有整个吸收来的可能。虽然他们不时时刻刻跟随游击队行动，可是他们的确是游击队的人。只要游击队善于运用，游击队当然也还有一定的基干人员，这些基干人员在实质上说，就是游击队的人员，始终随着游击队行动的。他们一方面发挥本身的战斗力和敌人决斗；另一方面尤要发动群众，领导群众，发挥群众的战斗力去和敌人决斗。因此游击队的人员，只要有一部分好的不在数量多少的基干分子，能得要领地去发动群众，领导群众就够了，而且本据这一个方式去做，可以获得很多便利：

一、能用小的力量，决定大的成功；

二、运动与隐匿便利；

三、指挥与掌握灵活；

四、给养卫生无问题容易处理；

五、因为本身力量有限，运动与战斗，处处都需要群众，因而与群众本能地打成一片；

六、群众能通过游击队的关系，更迅速更确实的把力量集结起来供献给全面抗战。

不过最后得提出来说的，除去丧心病狂的汉奸“托匪”[1]等，一切人都是游击队有用的人材。有时连汉奸“托匪”都可以给游击队利用，帮游击队尽很大的力。因此前面认为游击队对人的问题要加以选择，并不是说什么样的人游击队不要；而是说，游击队应该量才分工，适当的分配他的工作，使他把可能特长的部分发挥出来。譬如，把行走不便的人带在游击队里活动，那简

[1] 汉奸“托匪”等有时可用为反间谍。

直是一个累赘；如果让他留在某一个地方当坐探也许他很好。其他如老人，妇女，小孩子，文化水准高的，文化水准低的，各式各样的人，都要好好去分配一个最恰当的工作给他。任何人我们游击队都不要放弃，任何人我们游击队都不要埋没。

五　游击队的武器弹药

在今日的战争中，武器的质和量似乎摆在第一位。日本帝国主义的武器比我们强，他有大炮可以射到我们，而我们炮的射程没有他远，他有众多飞机和军舰，可以载着炸弹和兵队到我们的内地上空和海港，而我们只凭借消极的防御来抵制。这样一说游击队简直可以不要，游击队从那里去获得更好的武器和敌人决斗呢？甚至连普通的烂枪，有时也不容易摸着，赤手空拳地能够去游击么？

其实正因为游击队的性质不同，武器虽然有他不可磨灭的威力存在，在游击队里却不是顶顶重要的一项。当然游击队能有新式的威力强大的枪支子弹，力量更比较吓人；不过没有那些并不在乎，游击队决不以物质的缺乏而影响到抗敌的情绪与必胜的信心。

从洪杨之乱以迄连年的内战，民众自动购买的，以及溃兵遗落在民间的枪支，各省都很多。有许多地方官厅，向民间严密搜查，禁用，甚至指有枪者就是通匪。一部分枪都埋在地底下或秘密的处所，现在只要一号召，民众很容易就可以拿出枪来的，这些枪都是发动游击战的绝好的武器。

此外民众还有鸟铳及简造的手枪（每次装一颗步枪子弹，射程很短），也可以利用。

有时可以不用枪，如古代的兵器：大刀，矛戈，剑等，甚至日常的农具，工具，如锄头，钉钯，铁叉，镰刀，斧头等等，都可以起战斗的作用。

所以过去苏联革命的时候，他们的游击队就召集铁匠，铜匠，把所有的铁和铜等制成简造的枪，大刀和剑等，和白军强大的部队优越的武器周旋，而使白军感受最深的痛苦。

武器的分配也很有关系。有时人数多，武器少，过去的苏联和前几年中国的红军也都运用这个办法：

就是战斗中拿武器的人员和徒手人员换班，譬如，一班八个人四支枪，那么就两个人管一支枪，轮流着射击。

当游击队一和敌人接触，而且不断的和敌人斗争，那时，武器的来源就更加丰满了，战场上打一个胜仗，至少可以缴一批枪支来。敌人行军时的袭击，或病兵或落伍兵等的枪支，照例是给游击队预备的。游击队有时还可以运用政治手腕，收买敌人的枪支。因此游击队只要灵活生动，敢作敢为，武器的确不算什么问题，在某一种时期，甚至感到武器过剩。譬如用少数的兵力，缴获敌人无数枪支。甚至大炮坦克车等，游击队尽量携带，这时为顾及自己迅速而轻巧脱离战场，会觉得无法处置，结果逼得只好把它抛弃或毁灭了。

游击队有时对弹药问题的确起恐慌，因为没有枪也就罢了，有枪而无子弹，真够麻烦；不仅不能发挥枪的效能，而且枪相反的变成累赘。

因此，游击队认为弹药比枪更重要。

游击队的弹药不仅着重来源，而且尤其要着重节约。当游击队的弹药没有来源的时候，固然要节约；即使有来源或者来源很广，也同样要着重节约，游击队不能节约弹药是灭亡的预兆。

游击队弹药的来源，可分下列几个方面：

一、从可能的方面由外间运输来；（中央发给，友军或其他方面的援助。）

二、向民间收买或征集；

三、向敌军秘密收买；

四、抢夺敌人弹药仓库；

五、战场缴夺；

六、战场清扫拾零；（敌我遗落下的零碎子弹。）

七、自己制造；

过去俄国红色游击队也曾自己制造子弹，但弹壳不好制造，所以要部队把弹壳拾回，去换子弹。这在我们游击队里也应该效仿的，虽然一时还没找到送子弹的人，可是弹壳总不要丢掉。

八、其他游击队可以自己造手榴弹，炸弹，仿照掷纸炮的构造，用瓦罐装炸药铁沙之类，向敌人掷去，或安放路口屋内，敌人一触即可爆炸。

六　游击队的组织体系

游击队不像一般军队，有一定标准的编制系统，极少的人数与极多的人数，都能适当编配为小和大的游击队；而且都可以各别独立行动与战斗。因此，游击队决不受任何环境限制，而妨碍了它的组合。

不过革命的游击队也决不像土匪那样随便纠合一批亡命之徒，三个五个或十个八个占据某一座山岭做截路生意，在它组合的大的伸缩性底下，依然有不可违反的一定原则存在。

一、必须有政治的主导。

游击战术的行为，根本就是基于民族解放运动的，反侵略反压迫的，政治反映的行为，它必须本据一定的正确的政治路线去和敌人决斗。然而游击队员，特别愈庞大的游击队，分子的政治认识，必然有很大的参错，假使没有一个好的政治主导机关，时刻指着正确的路线，则游击队的行动就未必恰恰适合全面抗战的需要，甚至和全面抗战的需要冲突。因此游击队里政治机构的权威是很高的，组织体系中必须有政治部门，而且占着主导的位置。

二、最小单位要小巧灵活。

一般军队的最小单位——班，至少有九人至十二人，由班长和副班长共同率领，这在近代战争中，因火器进步，散兵线过度分散，指挥与掌握已感到种种不便；游击队常常化整为零，独立战斗，如果最小单位的兵力太大，指挥与掌握更感到不便，而且运动与战斗都形成迟钝笨重。所以游击队的最小单位应该划分得小，通常以三人至五人为适当。

三、每一指挥或战斗单位都要富有独立性。

游击队常处在四面楚歌的恶劣环境中，不论指挥或战斗单位都要有独立战斗的能力。就是说任何单位，不仰赖其他单位的保护与援助，能独立自卫，进而至于击破敌人。特别是一个指挥部，和指挥部内在的各部门，如参谋处，副官处，情报处，等等，往往要仰赖部队的保护卫戍，平时为保障工作的安全与方便，或者可以那样做，但战斗的时候就不可能了，那时一切都要倚靠自己，所以这是很必要的。

但这决不是文字上的修饰，或意念上的要求，为使各个部门单位都能独立，必须注意到下列几点：

1. 人人都准备做战斗员，人人都当战斗员；不能和一般军队那样，参谋副官都是文弱书生，勤务兵伙伕都是不懂战术的老爷那就糟了。

2. 配合使每个单位都有独立战斗的力量。譬如，指挥部都有直属的班排，每个部门都有直属的战斗员，不是把指挥部搭成一个有人无枪的空架子。

四、分散活动，从命集结。

一个游击队的组织不妨尽量庞大，但决不像军队般始终分离不开。它必须力求分散，四处活动，到达某种情况底下，运用联络的巧妙，立即集结，汇攻一点。这样组织虽大，而不笨重，分散虽广，而有系统，平时运动，隐藏，给养，补充，却比较有利，特别减少本身目标，而予敌人以四面围困，对游击战术之运用尤为恰当。

此外游击队应该挑选和收罗人材，编为特种技术组和队，如交通组（队），卫生组（队），破坏组（队），侦察组（队），修械组（队）……等等，由专门人材担任，经常负责与不断研究，在整个游击任务中说，非常有利。

游击队有时编有机关枪队，迫击炮队等，那只限于有该项武器者方可列入编制，如果没有机关枪，迫击炮等，就得省略，不可有名无实地挂一个空头名义。

在游击队里把男女性别和年龄老幼，也分编制，譬如少壮妇女编为妇女先锋队，老弱妇女编为缝洗队，小孩子十六岁以下的编为童子团，十六岁以上到四十岁编为队，或先锋队，老年人通常担任后方警卫与其他，苏联也有编为“银色连”加入战斗的。总之，在组织上只要不背原则，可尽量按照当前的环境适宜活用，不必拘泥抄袭。

七　游击队的给养与卫生

一切物质条件的缺乏，都可以用最大的毅力去忍受；唯有给养与卫生不容许缺乏。

纵使一个人能忍耐饥渴，但决不能永远或相当多的天数不吃食物。同时当他生病或负伤以后，如果没有医药来治疗，身体的确是成问题的。

然而游击队，特别一个庞大的游击队，给养和卫生材料却非常不容易获得，因此，这两件事竟成为游击队的主要问题，也是严重问题。

游击队不能将这两件事深思熟虑，在某种方面取得绝对的保障以后，才去开始活动。虽然这两个是严重的问题，主要的还是在开始活动后适应环境去克服它。有些人竟为了顾虑将后这两个问题，特别是给养没有着落而裹足不前，放弃了国民应负的抗敌的使命，是绝端错误的！

先从给养问题说起。

游击队的给养无疑义的要靠忠于游击队的群众义务地供给，当游击队到达某一个地区内，由当地民众乐捐或摊派食物供给。但是在这里发生几个问题：

一、当地民众贫困，没有多的余粮可以供给游击队，有时甚至他们本身都没有东西吃。

二、因为敌人的蹂躏当地民众已十室九空。

三、当地民众被汉奸分子操纵，将所有食物秘密埋藏，仇视游击队。

当游击队处在这些情况底下，要靠群众供给给养，事实上不可能，因此游击队除用现款临时设法收买，或向亲日富户强征外，有时并须自己生产，所好游击队并不要远离乡土（或根据地），可以利用附近的土地，从事生植最快的蔬菜，如青菜南瓜之类，必要时也可以充饥。

游击队和敌人接触，可以设法抢夺敌人的给养，在不断战斗中，这方面常成为一个主要的来源，有时还可以把多余的散给附近的贫民。

大概一个游击队整个饿死的情形绝对不会有的，除非他们永远坐在山洞里没有出来和敌人斗争过。不过，在游击队里的确要能忍得饥吃得粗。

再一点，游击队纵使饿得忍不住了也不能对民众暴动，即使实行强征，也要由政治人员率领去办理，尤其不可以进民家自己乱翻，惹起群众反感。

其次谈到卫生。

游击队的卫生，当然不能十分讲求，特别有时连医生也找不到一位。

在中国社会环境里，顶好还是用中医，收集中药材料。最主要的为了将来西药没有来源，游击队在敌人后方除去从敌人方面抢夺一部分以外，更是不容易获得，因此游击队可能时就得物色中医，在队员或群众中调查，有医药人材就把他提选出来负医药的责任。当然有西医也应该并重。

游击队不仅养活几个少数的医药人材，经常尤要培养或收罗新的医药人材，医药人材愈多，对游击队的卫生愈有帮助。

一切医药人员，不是专在疾病以后去治疗，事先必须加意预防。特别对于全队的起居饮食，医药人员都得加意考察：是否合乎卫生条件？是否有敌人或汉奸散布病菌与毒药？

当一部分人员生病或负伤，医药人员，尤要尽心诊治；因为一个人生病或负伤，就减削一分战斗力，直接影响于游击队，间接就影响到全面抗战的胜利。反过来说，每个队员对本身的卫生，也应该重视；爱惜自己的身体，留作有用的斗争。

八　游击队的根据地

在很多人脑筋中，都觉得游击队必须有一块绝对险要的地点做根据地。而且他们理想着：这一块险要的地点顶好四面都是高山，中间是一片幅员很大的盆地，只有一个天然的口子出入；在这口子上站一个年壮的伙子，抓一杆步枪，甚至一口马刀，就足够把守得紧紧的。

或者像梁山泊天然的地势，坐稳妥的江山；三天出去游一回，五天出去击一回，游击队才能安全的存在和发育似的。

这样的设想的确够精致的，如果每个游击队都能找获这样好的根据地，至少比一般地点有利；不过像这样的地点全国有几块呢？如果说，游击队非找一块好的根据地就不能发动，那无异说游击战根本就不可能作广泛的全民的开展。

因此，在发动广泛的全民的游击战之前，我们必须迅速否定唯险要根据地的不顾客观环境的主观论。

游击队固然要有一块依为根据的地点，然而这地点决不是一定要仰赖天然的险要，加以人工的建造巧妙的运用，都可以依为根据。山区可以发动游击战，平原同样可以发动游击战，全国每个乡角落上都可以发动游击战，而且基于全面抗战的要求也必须发动游击战。

可是，虽然这样说，一定还有很多同胞怀疑：

一、没有险要的地形掩护是不是能游击呢?

二、怎样去巧妙的运用根据地呢?

现在我们逐一解答这两个问题。

第一，没有地形掩护去打游击战，好像处处都不方便? 特别有一个很大的部队，简直没有地方可以躲藏似的，在这种情形之下，我们不能闭起眼睑来说:“不要紧不要紧。”

1. 我们得先了解游击战决不只是有形的集成一个武装的部队，东游西击，凡是零散的乘机会进行侦察，骚扰，破坏……等等，都可以算做游击。因为那同样的达成了苦痛敌人，打击敌人，牵制敌人，阻绝敌人，饥困敌人等工作。

2. 在没有地形可以掩蔽的平原地带，游击队的组合必须变更。就是说，要加强民众的组织训练与连击，平时散寓在农村中，当机会一到，约定暗号集合，向敌人进袭，袭击任务完成，又散回各人家中。

游击队的基础人员固然要有，但是要少，平时也借其他职业掩护，只要联络确实，运用巧妙，给敌人的痛苦一定更深；同时游击队本身也容易维持。

山地地形复杂，当然不必学这套作风，不过，要找一个如前面理想的地点做根据，也还不容易；而且，现在的战争，显然和以前不同，纵使十分天险的地点，以弱小的力量，终敌不过敌人威力强大的武器。所以：

第二，对于根据地，无论险与不险，应该研究一种比较巧妙的方法运用。

1. 已经决定一块地点做根据，必须秘密起来，千万不要人员公开的出入，特别不要让外间的群众直接向这方面联络。即使最忠实的人，顶好还是和他隔绝。

2. 根据地必须区分：

A. 主根据地；

B. 副根据地；

C. 预备根据地；

D. 假根据地。

主根据地绝对秘密；副根据地要有几个，围绕主根据地作为拱卫与缓冲地区，也要严守秘密；预备根据地是防范主根据地受威胁或击破时迁移之地点，更要秘密；假根据地，则故意表示根据地模样，在根据地之相反方面，以疑惑或吸引敌人，亦须故作神秘状态。

3. 敌人向根据地进攻，不可向主根据地或副根据地引退。

4. 为避免群众向主根据地联络，在其他地点可建立一临时通讯或联络地点。

九　游击队员应具的修养

游击队员是游击队的原子。因此，游击队员的优劣，决不仅是一个人的问题，而关系整个游击队的生命，更足以影响到全面抗战的前途。

然而，在人事的选择上，希望有一个天赋的适合游击队的性质与能耐者，却很不容易找到。在这里，只要着重向游击战应具有的诸基本条件努力追求与修养，也唯有修养才能成功一个伟大实际的游击斗士。

游击队员应具的修养可以分成四方面说。

一、性能方面——游击队员在性能方面必须具备下列六个基本条款：

1. 智慧；　2. 机敏；

3. 勇敢；　4. 沉着；

5. 热心；　6. 爱群。

这意义当然很明显。智慧机敏，才可以临机取巧，应付裕如，不会和水牛似的笨。换一句话说，才格外来得灵活生动使敌人捉摸不定。

勇敢沉着，则敢作敢为，临事不乱；纵使泊乎最危险的境地，也能不顾一切泰然处理。

热心爱群，是游击队最基本的条件，唯有热心，才能不屈不挠始终追随敌人战斗；爱群才可以和群众打成一片。

二、生活方面——游击队员的生活，也应该养成下列六项坚苦优美的习惯：

1. 忍饥；　2. 耐渴；

3. 耐冷；　4. 耐热；

5. 劳苦；　6. 吃粗。

游击队，特别不断在贫瘠的地方活动，始终或多半离不了饥、渴、冷、热、劳、苦、粗、糙的线；假使缺乏以上的习惯，那真是很难参加在游击队里活动。

三、技术方面——因为游击队的环境和任务不同，而且游击队员单独活动的时间很多，所以他应该是万能的斗士，应具备的技术很多：

1. 射击；　2. 国术；

3. 隐藏；　4. 爬山；

5. 涉水；　6. 奔跑；

7. 夜行；　8. 攀登；

9. 跳高；　10. 跳远；

11. 化装；12. 侦探；

13. 宣传；14. 破坏；

15. 驾驶；16. 交通；

17. 筑城；18. 测绘；

19. 摄影；20. 速记。

这些，都是游击队运动与战斗所必须的基本技术，也就等于一架大的机器上各部门的轮盘螺丝的制造一样，一凑合起来就可以发挥它伟大的效能。不过最后的“测绘”、“摄影”、“速记”三项，如果因为知识水准的不及，可以责成少数人习练。

四、学识方面——无论识字不识字对下列几项中心问题，必须有清楚的或至少相当的了解：

1. 抗日民族统一战线之必要及运用；

2. 民族解放运动的理论基础；

3. 目前国内外政治情势；

4. 中日问题；

5. 游击战术的理论与实施；

6. 间谍知识；

7. 群众运动的理论和方法；

8. 军事学概要；

9. 敌国语文。

游击队的训练

一〇　游击队应有的训练事项

临时凑合起一部分人来，固然也可以凭着一股热血去把敌人杀得落花流水；但是一个没有受过训练，受过适当的训练的人群，认识不清楚，技术不熟练，相互间更缺少协同一致的行动，就很难在敌人面前保持比较安全的活跃。即使偶然击破敌人一部分力量，也必须付与很大的代价——牺牲，这在游击战术的原则上是不相符合的。

所以我们要肩负游击的使命，达成游击的任务，就必须着重游击队的训练，而且要使训练恰当。

在游击队的训练方面为求其恰当，我们首先应该指出的是游击队应有的训练事项。就是说游击队应该训练些什么。

一般人以为训练游击队，只要使他知道怎样瞄准，怎样射击，怎样走夜路，怎样摸敌人的哨兵就够了，甚至有一位军事教官对学生说：（因为学生要求受游击训练）“游击战不用学只要跑得快就成了。”如果游击训练只是这样肤浅的话，也许游击战发动起来并不能给全面抗战有好大的帮助。

为阐明今日的游击队仅有单纯的肤浅的训练不够，必须从游击战的时代性上去了解。

今日的游击战是撑持全面抗战的积极军事行为，而过去东北义勇军时代的游击战，是笼罩在沉苦的局面下的消极军事行动。那时既没有正规部队和敌人作主力决斗，各义勇军间又没有相互的联系，他们只靠着一部分人的团结与勇气，不断和敌人斗争。因此他们完全尽本身的能力和环境的许可，能够予敌人一个什么样的打击，就给予一个什么样的打击。他们也没有这大的目标，与广阔的顾虑，所以当时他们需要的就是单纯的技术，其他在他们也许用不着的。

然而现在却不同，假使一个游击队只看见自己的脚尖前面的利害关系，而没有顾全大局，向全般着眼，将自己的战斗行动，密切地和全般军事配合上，可以说，这个游击队没有和全面抗战发生关系。因此，今日的游击，不只是一个战术战斗的游击，必须是一个战略的游击；更不仅是一个军事的游击，尤其要是一个政治的游击。那么，今日的游击队训练，只是单纯的肤浅的玩艺是不是够了呢?

按照前一节“游击队员应具的修养”中可以整个找出游击队应该训练的事项。那里不仅军事的训练，尤其着重政治的训练；也不仅是军事与政治的基本训练，更需要军事与政治的应用训练。大概游击队的训练能注意到这些，结果必然圆满。

一一 游击队的政治训练

政治训练在游击队的重要已不必重复赘述了，现在我们要讨论怎样去实施政治训练。

为求具体而有系统一点，把它分别为三个步骤。

一、政治训练的目标。

当实施政治训练之前，我们首先得确定一个目标；因为有一定的目标，我们才可以计划路线与方法。

政治训练的目标，在基于抗日民族统一战线的最高原则下，使全体指挥员与战斗员，对国内外全般政治局势，有一个深切的或扼要的了解；并从而激励其意志，发挥其兴趣，使愉快地而绝对正确的走上抗日胜利的道路。

二、政治训练的范围。

一般人把政治训练的范围束得非常狭小，以为编几个浅易的近乎政治题材的问答，上上政治课就够了。试问这样算尽了政治训练的能事么？

为了切实走向政治训练的目标，而且获得真正的效率，对政治训练的范围必须加以开拓。

政治训练第一要促进指挥员与战斗员的认识，所以对下列几个最低限度的题目，要经常加以讲授和讨论：

1. 抗日民族统一战线的阐述；

2. 国内外政治情势的分晰与其发展的必然性；

3. 抗战前途和日本帝国主义崩溃的必然性；

4. 游击战术之政治根据与倾向；

5. 民众运动之理论与方法；

6. 游击队员对群众对敌人应采取之政治的态度；

7. 怎样使游击队生长与发育。

其次，政治训练中，必须提高指挥员与战斗员的兴趣。换句话说就是要提高队员抗敌的情绪。

1. 做游戏；

2. 说故事；

3. 唱军歌；

4. 举行各种竞赛，择优给奖。

第三要着重工作实验。所谓工作实验，是把政治理论与行动打成一片。也就是要他们把观念上认识的，从行动上表现出来，同时也就是应用的训练。

1. 组织壁报队；

2. 组织宣传队；

3. 其他。

三、政治训练的方法。

政治训练必须注意到三个法则：

1. 启发；

2. 灵活；

3. 向全般着眼。

譬如问题的讲授与讨论，一般人都以为对文化水准低的对象，应该取最浅易的材料。其实这话并不对，取材不妨高深，讲授与讨论要转变通俗。据说毛泽东的辩证法，乡下老太婆也听得懂，如果顾忌文化水准低什么也不对他讲，讲了怕他不懂，那么他永久不会懂了，也就永久盲从了，这样可以使群众有坚决抗日的决心么？

同时训练的方式要灵活，不要呆板的非上课的时候就不训练；除上课之外，要经常的开讨论会。每次讨论一个或几个题目让他们任意的发言，然后给他一个通俗的浅明的结论。

每个谈话是一个最好训练的机会和方式。分别召集他们各个谈话，从谈话中激发他们的思想，和谈话的资料，随时加以温和的纠正，使他对某个问题了解得更明显。因为各个谈话的时候，对方的精神最贯注，印象最深刻，经过一次谈话之后，谈到的问题常永久不会忘记。

再其次，机会谈话和机会训练尤其重要，这种没有一定的时候与一定的方式，碰到机会，就谈就训练，在训练方面说可以收事半功倍的效率。而且也只有这样政工人员和指挥与战斗人员才更能打成一片。

另外任何训练，都不要单独的把它限制在部分的意义里面。譬如，提高队员的情趣，领导他们做游戏，唱歌，说故事，或各种竞赛，不要仅注意到兴趣一方面。做游戏不妨做与抗战有关的战争游戏，或有补于军事技术的体育游戏，智慧游戏；唱歌说故事，应该选择可能激发民族意识的一类，或含有战争经验，战争技巧之一类有兴趣的诗歌故事；各种竞赛则以识字，政治问题解答，工作的成效（同时做，谁做得顶多，顶好），缴夺胜利品的比较，以及爬山，赛跑，游泳，目力，听力（远近比较），举重，跳高，跳远等等极有意义极有帮助的事为好。

总之，政治训练是要和脉络般网罗着所有的人员，而没有一时一刻松懈了，或没有顾全到的，那样才可以收效。

最后要附带说，为了政治训练的重要，政工人员本身的思想，精神，行动，处处都要能做部队的表率才对。

一二　游击队的军事训练

因为军事是游击队打击敌人的直接手段，军事训练之精粗，在在都足以左右游击队的战斗力量，所以除去政治训练以外，第二重要的，就要数到军事训练。

一个游击队，它的生长和发育多半都在十分恶劣或紧迫的环境里，为求技术的速成而及时应用，当然不能仿照普通军队或学校的军训那样按步就班地，从立正稍息的操场动作，渐次及于攻击防御的野外操演。当这抗战紧张的期内，即使普通的军队学校也不应该实施那样机械的，非战时的军事训练，用直截了当的话，就是说游击队的军事训练必须有战时的新的方案，和适应战时要求的新的要领。而且这种战时的新军事训练方案和训练要领，不仅适用于游击队，战时一切军事学校社会军训都可能适用，甚至于必须引用，抗战面前的整个军事才有素养。

战时新军事训练方案：

方针：养成有坚决抗日情绪的政治自发的熟练一般抗日军事技术的初步军事人材，充任游击斗士与干部，从事坚决和敌人搏斗。

原则：

一、使军事技术和政治打成一片；

二、在最短期间速成一切军事上应用的技术；

三、着重生活教育（即机会教育），从工作中学习，在学习中工作。

内容：

一、基本训练：

1. 爬山；　　2. 奔跑；

3. 涉水；　　4. 攀登；

5. 跳高；　　6. 跳远；

7. 负重举重；　　8. 方位判别；

9. 夜间运动；　　10. 打拳；（以上徒手）

11. 舞刀剑棍棒；　　12. 操枪；

13. 装退子弹；　　14. 上下刺刀；

15. 射击姿势；　　16. 装标尺瞄准击发；

17. 刺枪术；　　18. 实弹射击；

19. 伪装；　　20. 筑城。

二、应用训练：

1. 班散开；　　　　　　2. 班火线构成；

3. 战斗前进；　　　　　4. 冲锋，追击，退却；

5. 侦探勤务；　　　　　6. 步哨勤务；

7. 通信联络勤务；　　　8. 利用地形地物；

9. 测量距离；　　　　　10. 埋伏；

11. 隐蔽行进；　　　　12. 袭击；

13. 夜袭；　　　　　　14. 宿营警戒；

15. 特种兵器操练；　　16. 特种战术实习。

说明：

军事训练项目虽然繁多，但是我们为顾虑环境与时间，只好择其最关重要而有效的动作练习，以上所举基本与应用训练项目，乃本此旨趣而列，诚能反复习练，更在实战中求进步，已足够达成训练方针。

训练要领：

一、废除一切操场上不适战时的机械训练，如“立正”，“稍息”，“向左（右）转”，“正步走”，“齐步走”，规律的“一二三四”的“跑步走”和单纯而机械的“跪下”，“伏下”，“队形方向变换”等。

二、一切基本训练都要直接能应用到战时去。

三、一切基本要求都要在战斗动作中养成，如立正，稍息，步法，转法，跪下，伏下，队形方向变换等，本来在军事上，在战斗动作上，都有它不可否定的意义；然而这些都要归并到战斗动作里一并去要求，时间上，人力上才经济。譬如说，各种步法，其基本意义，是养成军人步调一致勇往迈进的气概，与强健有力的足力，决不是为着“大典”为着“阅兵”举行“分列式”的。那么这个放在“爬山”,“奔跑”与“战斗前进”乃至“冲锋”,“追击”中去要求，不更来得切合实际些么？再如，跪下伏下其目的在使迅速取低姿势掩蔽，以行射击，隐藏或休息，如果并在“地形地物的利用”乃至“埋伏”，“隐蔽行进”诸项目中要求，一定更使习者了解而实在。其余如队形方向变换在“方位判别”中，在散兵线的运动中都可以完完满满的做到。

四、一切动作的教练要讲求活用。

五、技术的熟练不仅在操演中获得，特别要注重实战的经验和教训；所以原则上“着重生活教育”一项是值得特别注意的。不要等一切有把握以后再去战斗，战斗可以增进我们的军事技术的把握；军事技术的把握必须从多次战斗中逐步求取，而且在永远进步无止境的，因此在战斗中，不要忽略了训练，不要停止了训练。

一三　游击战术学习上应有的注意

只要有政治的自发，燃烧起抗敌的决心与勇气，在良好的训练的环境中，学习游击战术，并不是一件怎样困难的事。不过为学习的顺利和切实，而利于整个抗战的前途，关乎游击战术学习上应有的注意，此地必须郑重指出。

一、学习游击战术，首先要克服本身内在产生的诸矛盾意识。

1. 由好奇心冲动，做事虎头蛇尾没有恒心；

2. 只作理论的申说，不务实际的行动；

3. 作表面应付，不深刻探讨；

4. 缺乏毅力与勇气，不愿或不敢作坚苦的习练；

5. 凑热闹而没有实干的决心。

这些矛盾意识，特别知识分子最容易犯，如果犯了以上这些毛病，敢说学习决没有成就。其所以惹起以上矛盾的根由，追溯起来还是政治上没有真正觉醒，自己没有看清楚自己在这抗战的阵线上所肩负的责任如何重大，因此自己不能严格地督促自己走上真正抗敌的道路。这在一般劳苦大众身上说，或许为了他知识水准低落，对伟大的民族抗战没有认识清楚；然而在知识分子身上反映出这许多矛盾，未免是一件可耻的事情，同时也是抗战前途的最深危机。我们很希望知识同胞能共同注意。当然也不是希望每个知识分子非立即丢下其他任务，来学游击战术不可。已经从事学习的同胞，必须立即克服自己的缺点；同时将来局势更形严重的话，游击战——广泛的全民的游击战的实际领导者就是一切知识同胞，因此，知识同胞不得不有这种打算和准备。

二、学习游击战术必须按照一定的程序，基本训练尤其要着重。

很多学习游击战术的人，性情过急，希望一步就把游击战术学到手，因此基本训练和重复训练，都感到厌烦。譬如受游击训练的青年，一开始就要求分为两队对打（对抗），一个动作演习了一次，虽然只知道一些动作皮毛，但第二次复习，就不耐烦起来，以为“学过了的”。试问这样不着重根基的学习能去实用么?

在前面军事训练的一节中，已经大略确定了一个训练的内容，必须根据那些，依次的重复的习练，虽然是肤浅的东西，可是那里正蕴蓄了无限的学问。

三、学习游击战术，主要的靠自己不断的努力追求，特别着重自己和他人战斗经验的提取。

凡是学习一件事，完全靠人家直的方面教授，忽略了自己的追求，决不能有所成就。譬如练习打拳，教拳的师父，教怎样摆步，怎样伸拳，怎样转身，怎样跳跃，这一切形式上的姿态，我们花半天或几天工夫，可以学得逼肖逼真，这还不够满足么?然而没有一点内在的功夫或功夫不深，拳打出去不会起作用的，所谓这“功夫”，师父也只能说明，功夫的深浅完全靠自己锻练。自己不锻练，光习一点拳的花草，就等于不会打一样。

军事技术上有许多都是如此的，甚至还有“只能意会，不能言传”的临机应变的巧妙，更非加紧自我训练不可。

其次，实战对自己军事的素养有密切关系，那里一切都是最可宝贵的实实在在的军事理论与实际，倘使我们能随时随地拿战场当一个最真实的军事训练的学校或场所，抓住敌我一切活的军事材料，做研究与实习的资料，胜过平时三年的摸索。当然这不只限于敌人接触的一刹那，凡是游击队一切的实生活都是直接而有力的训练我们的宝藏；所以最后我们还要提出来说，唯有在生活中不断的努力与学习才能逐渐充实自己。

游击队的政治工作

一四　政治工作在抗日游击战里的重要性

很多人瞧不起政治工作，把政治工作当做军事的一根无所用的尾巴，在他们的眼里认为政治工作纯然是一种浪费；不仅从事政治工作的大小人员浪费了国家的俸给，更由政治工作人员宣传贴标语，浪费了金钱纸张，未免可惜！

这种论调也可以说对，因为一向中央部队的政治工作人员，很少能负起责任来在军事上起绝大的作用。特别从这次全面抗战的军事反映出来，我们的部队简直没有政治工作；无怪乎一般人轻视政治工作，进而至于否定政治工作。

然而从严格的方面批判，却完全不对。政治工作决不因一般人轻视与否定，在本质上失去了它军事上绝高的地位。一般政治工作所以然没有表现，只因为工作人员忘却了或放弃了自己肩负的重大的责任；非独没有积极的站在军事先头起领导或推动的作用，反自甘暴弃放弃职守地退居到军事的尾巴地位。因此被人误认，同时实际上也的确做了一个军事的毫无作用的多余的尾巴。常看见一些军队的政工人员，垂头丧气的话也不敢讲。因为他们退出了自己应居的地位，部队中的官兵压根儿就瞧不起他了。

堂堂皇皇的政治工作，交在这批人手上，弄成这个模样儿，为整个抗战军事着想，真是痛心极了。

为提高军队的政治与军事技术的素养，并争取抗战的最后胜利，我们必须重新提醒政治工作的重要，且予腐化恶化的放弃职守的少数政工人员以严重的批判。

目前各地的，特别在已陷落的土地中，同胞纷纷起来组织游击队，广泛的对敌人开展游击战争，以一般知识水准低落（多数），军事没有素养的人们，只凭了一阵子勇气，来回和敌人硬拼。假使这里面没有好的具有政治眼光的人给他们做先导，使他们向抗战的全般局势着眼，在战略战术上起决定的作用，必如暴虎冯河无所成就。而且他们不是根据了政治的自发而起，既没有素养，又没有联系，不被敌人击溃，消灭，待一阵子勇气过去了，也必然自行分化瓦解。所以政治工作，在抗战的游击战里，尤其重要，尤其不可须臾离开。

其次我们要更进一步认识，政治工作在游击战中，不仅是一个机械的指南针，在背后操纵行动方向；而是游击战的生命与战斗的活力。在整个抗日的游击战中，如果失去了这一伟大的活力，则游击战的生命与战斗，立即就僵硬腐烂而至灭绝。

因为政治工作在游击战中，不仅促使指挥与战斗人员有政治的自觉，提高军事技术的素养；而且它能实现整个抗战中战略意志的统一，在战略与战术上起正确的决定的作用，争取乃至保证抗战的最后胜利。

所以说，政治工作在抗日游击战里是占着最重要的地位的，它不只是一个理想或愿望，事实上必然，而且需要的。

一五　政治工作的要领

谈政治工作的要领，首先应该注意到政治工作人员本身的修养，因为政工人员是直接执行政治工作者，从他本身修养的深浅与优劣，足以影响政治工作全部或局部的成效。

政工人员至少必须着重下列几项修养功夫：

一、对政治有总的体认——一个从事政工的人员，肩负了政治工作的责任，对政治基础及目前政治形势和发展，必然要有一个总的体认，才能去领导一方面的群众共同走上正确的抗战的道路。

二、有军事理论与技术的素养——很多政工人员认为自己是“文人”，好像自己只管文的方面的事情，站在军事人员面前很可以老实不客气的承认自己是一个“军事外行”，放弃军事上应有的决定。这样的政工人员一定和军事脱节，不能密切地和军事人员合作，特别在全面抗战的游击战里，不能参与战略战术的决定，不能在火线上和战士共同行动与督战，到达一个地方不能单独的去组织民众训练民众。可以说，不够做政工人员。

三、谦恭温和——政工人员能谦恭温和，第一，不会骄傲满足，工作中能不断的研究和学习，增进工作的把握；第二，遇事敬谨，即使能力不够，也必然有较好的实在的成绩表现；第三，能深入到群众间去，得着群众的爱戴亲近，和群众打成一片。

四、勤劳谨慎——政工人员为群众表率，处处应以身作则，抱定“我不入地狱谁入地狱”的决心，先群众而作，后群众而息，同时因为负的责任大，给群众的影响也大，一举一动，务必思虑周密，慎重处理，才不致盲动轻举，贻误事机与群众。

至于政治工作的要领，我们可以把它归纳成八项：

一、全般着眼——政治工作，和整个抗战的理论基础，以及政治形态的演变，有“不可分性”，因此，一切计划与措施，必须向全般着眼，才能和整个政治联系配合。

二、内外兼顾——政治工作不能仅着重军队或游击队内部，此外对民众对敌人等政治工作，也非常重要必须同时兼顾并重。

三、订立纲领——做政治工作必须以每一任务的阶段或时间为单位，订立政治工作纲领。就是说，每一任务阶段或某一时间，必须订一个详细的工作计划。譬如游击队准备去袭击某处敌人，政工人员就要本据这一个任务，订立一个适合此一阶段的工作纲领：对本队人员要完成些什么工作？如何对敌人施行政工？事先完完全全的订好，然后按步实施。平时大概以时间——月为单位订工作纲领，纲领不仅能使工作有计划有顺序，而且可以和前后阶段相衔接，使整个工作有系统。

四、检查成效——在工作上必须多检讨，一种是自我检讨，另一种是集体检讨，这两种要同时并重，唯有检讨才能发现工作缺点，唯有检讨才能把握住新工作经验，这在工作前途都非常有利。

五、深入群众——前面也说过，政工人员要开展工作，必须深入群众，和群众打成一片。如果像过去的官僚“高高在上”，成为政工老爷，和群众冰炭不投，偶然走到群众面前，群众立即就厌烦起来了，或者想方法回避，那么这一个游击队的生命简直在他手上送终了。因为游击队顶重要的就得和群众连为一气，而这连为一气的工作，全仗政工人员去做，政工人员非独抓不住群众而且把群众赶走了，这个游击队还能生长发育起来么？

六、有始有终——游击队戎马仓皇中，政工人员无论从事本队或地方的政治工作，成为了部队的游击，不能有头有尾的做到，可是有头无尾的半截工作，非独没有工作成效，而且半途而废，给群众的印象很不好，所以我们政治工作人员必须注意这一层。部队政治工作订立有韧性的工作计划，使它不致因时间与环境迁移而不能继续。地方工作，则开始的时候就得估计时间的久暂，订立适合时间的工作纲领；就是说，顶好在部队没有离开前完成了要做的工作。如果事实上决不能在短时间内完成，则必须有善后的处置，留一个人继续的工作，或另委地方人士代理负责，事后犹经常联络。

七、改善环境——做政治工作，如果仅注意到理论的鼓吹，而不能替群众设想为他改善环境，终亦对你的信仰会消失的。

八、不断发展——就是说政治工作不能始终维持着，旧的工作方式在旧的工作领域中旋回；应该向大的领域里开拓，使游击队的政治工作不仅在部分游击队里起胜利的决定作用，而且要联系起来，迅速决定整个抗战的胜利局势。

其余细微的工作要领还不胜枚举，当然不是在这篇幅中能说得完的，不过只要根据上述的八项做去，其他不难在工作中体验出来。

一六　对本队的政治工作

单纯的政治训练和政治工作是有区别的，政治训练只从意识上使有政治的觉醒，提高抗日的情绪，并保证军事技术的素养增进。而政治工作则直接表现其有利于抗日游击队之行动；换言之即策动军事，与协助军事，以争取军事上的胜利及解除军事的困苦。

不过政治训练是政治工作的一部门，也可以说是开展工作的基础。

一般政工人员往往除开政治训练以外，就不知道再对本队还有什么政治工作要做了。因此他们误会了政治训练就是政治工作，而忽略了实实在在要做的政治工作。如果这样，政治工作人员实成部队中一个不负责任的政治教员似的，岂不糟糕吗？所以，在这里请从事政工，或行将从事政工的人员，特别加以注意！

本队政治工作，在工作对象上可以分为上层政治工作与下层政治工作。

上层政治工作是对干部的。这不是说对干部采用什么手段，而是对干部的领导负责，随时和军事干部密切联系，共同计划；而在共同的中间，却带有策动与决定的性质。

下层政治工作是对一般战斗员的。他使一般战斗员在“抗日第一”的面前，行动正确。为工作便利广泛而有力起见，在他们中间挑选最优秀的分子充任政治工作的助手，称为政治员，或政治战士，政治组长等都可以，让他们起来分别领导各最小单位的政治行为。

再按工作的时期可以分为战前，战中与战后。

战前——

一、不断研究全般抗战局势的发展，与每一阶段中之抗战的新中心任务，而策动游击队适时适地与主力战相配合，相策应。

二、基于第一要则，与军事干部研究并决定战略战术之出动的方向目标等。

三、使全体指挥与战斗人员了解此一出动之任务的重要，以及胜败对广义与狭义方面之影响。

四、安置并慰藉伤病队员。

五、各种“悬赏”。如战斗中勇敢，缴夺重要胜利品，或擒杀寇军单位长官等。

战中——

一、和队员一致行动，共同甘苦。

二、亲临火线督战，淬励战斗员与指挥员。

三、组织救护队，（用忠实民众组织）派员督促救护受伤战士。

四、获得小胜，立时发动扩张战果争取大胜。

五、战事延长，即应发动当地民众替本队送给养到火线上去。

战后——

一、清扫战场。

二、阵亡战士设法抬回或就地掩埋。

三、清查各单位胜利或失败实况。

四、调查有功人员，以定犒赏。

五、对全体队员慰劳，或发动讨论会集体讨论此处战役之得失，足以提供下次战斗之经验与教训者为何？并从而整理补充郑重颁布。

总之，不要以为没有工作可做，甘心做军事的尾巴；一切都和政治相关，一切都从政治出发。

一七　对民众的政治工作

民众是游击战的基本力量，如果游击队不能争取民众的同情和协助，和民众打成一片，游击队必定枯萎而死灭，且影响整个抗战的前途。

这一个巨大的工作，是在游击队的政治人员身上，他非独恪尽对本队的政治训练与工作，尤须同时向民众开展政治工作，使民众与游击队整个凝固为一。

对民众的政治工作可分下列四个方面：

一、宣传；

二、组织；

三、训练；

四、领导。

所谓宣传，是发动民众的第一步，使民众了解日寇侵略的狂暴，由其切身的利害关系，说到整民族的危机，更进而解说全面抗战的伟大意义。胜败是全民族生死决斗的关头，以及全面抗战中全民应负的责任等。

在宣传中应特别注意到下列几点：

1. 担任宣传的人不要奇形怪状，最好朴素而能操当地土音或和土音相近的话。

2. 先要和当地的素有声望的忠良联络，并用温和的态度绝对说服他，使他不仅不反对，而且热烈的来赞助我们。

3. 先访问他们（民众）本身的疾苦，再说几个日本兽军在其他地方的残暴兽行的惨事，慢慢说到日寇狂暴的侵略，关系他们切身的利害以迄全面抗战的意义与全民的责任。这样民众由关心（访问他们的疾苦，他们以为对他们有好处，于是都关心而围拢起来听）而同情而悲愤而恐惧，乃至激昂，倾刻间可以燃烧起万丈抗敌的火焰。切忌尽唱抗日救国的理论高调，民众不感利害不感兴趣。

4. 说话要深入浅出，要通俗，一切时髦名词，术语必须转换乡土话。

5. 不要仅呆板的采用一种方式，或专贴标语散传单，不和老百姓见面。

6. 总之，宣传人员必须温和朴实，深入民间，和民众处处打成一片，有时一面帮他们做苦工，一面谈话。只要不怕麻烦，三个五个十个八个，都可以反复宣传，再借他们自然地一传十，十传百，非常有效。不必士大夫式的，至乡下去找乡长保长强制民众集合，上课般讲一遍，管自己走了；虽然在他们墙壁上留下一串石灰标语，可是一点鬼用也没有，换一种说法，这样非独不能争取民众加入抗战，且使民众——不了解的民众，恐惧而远避。

其次说到组织，必须在宣传生效以后才能进行。当进行组织中，不可丝毫带着强制的意味，起初不妨取最小的最简单的规模，逐渐再扩张吸收群众。

每个地方的情形不同，譬如那地方原有自卫的组织，如果这组织深得民众的信任，我们就可以利用这机构加强起来，而且极力联络这个机构，使成为我们可靠的助手。如果这机构不合民意，我们就利用民众的力量改组它，健全它。假使那地方根本没有什么组织，我们就用“××乡自卫队”等名义替他们进行组织，由他们乡里公选负责的领导人。这样民众必乐于接受。

无论原有或成立的组织必须设立侦察，警戒，救护，输送，破坏等工作部门，这些一方面在他们的自卫组织上有益，同时也就是游击队的利益。至于这些组织，在乡土中最好作秘密活动，不必公开经常的集中起来，妨碍了大众的生产；每个部门所包括的分子，应该尽量广泛而至包罗整个乡镇的居民。

第三训练，既有组织，即应训练。政治训练固然不必说，那是非要不可的；其他各种技术的训练，也必须替他们找人担任。可是，在这里有几点值得注意：

1. 要拿最紧要的材料给他们，因为时间要短；

2. 不要为训练而妨害他们的生活；

3. 训练的方式要灵活，不要拘定集合讲授；

4. 使每个人都知道，怎样拿自己学来的本领帮助游击队和为整个抗战出力。

最后，还要领导。领导的工作很重要，虽然这时民众也许能自发的动作起来了，可是我们还得要尽领导的责任，不断的加以指示，督促；如果部队迁离到另一个地方去了，依然要不断联系。

总括起来说，政治工作，一方面使游击队用正确的态度，行动，对民众，取得民众的同情与好感；另一方面要积极的把全体民众发动起来，帮助游击队，在整个抗战中起侦察、警戒、救护、运输、破坏、守秘密乃至战斗等等有效的作用。

一八　对敌人的政治工作

也许有人以为，对敌人还用得着什么政治工作？碰到就打，抓到就杀，那才痛快那才报了仇。

其实这完全是愚蠢的想法！我们必须了解：

一、敌国军民有很多非独不主张来侵略我们中国，并且是我们的好朋友，他们只是被强迫而参战，所以我们只能仇视敌国的军阀以及军阀的狗——野心政客。

二、在敌军中有很多是中国东北的同胞和朝鲜、台湾人，特别中国东北的人，决不会甘心来打自己的。

三、因此，我们与其拿武力击破，不如采取政治分化。

四、武力可以击破敌人的阵线，但决不能强使敌人改换其侵略的意志。

五、政治击破敌人的阵线，则能彻底转换每个本质忠良的战士的观念，粉碎野心军阀之迷梦的侵略企图。

所以，对敌人的政治工作，不是老夫子的仁义道德，而是全面抗战的最尖锐的刀锋。现在我们要研究，怎样运用这一把锋利的刀。

很多人把游击队对敌人的政治工作领域，圈得非常狭小，以为预备一点中国字或日本字的标语传单，袭击的时候带到他们庄子里，退却的时候丢在路上；或是对着阵的时候喊他们“缴枪”，“不要打”，这等等的口号；试问：这样是不是尽了对敌人政治工作的能事呢？不错。标语，传单上印许多正义的语句，让敌人拾到了读过以后会受着正义的感动而自发地悔悟，再加上喊口号给敌人一个直接的鼓动，不能一定说，“这样是没有用的”。不过，我们要明了：我们对敌人做政治的宣传工作，敌人为完成他们的侵略，也在拼命的向部队官兵做更有力的政治工作。譬如他们向部队官兵乃至民众说：

一、日本不把中国拿在手上，日本就要灭亡，全日本的人都要协力打倒中国，才不会亡国灭种。

二、全中国的人抗日的情绪都很高，千万不能单独落伍，或被俘虏，不然要遭割耳朵，削鼻子，挖眼睛……等惨刑。

三、因为满州国独立，所以中国人恨满人恨得比日本人还厉害，所以满州人千万留意中国人毒辣的手段。

像这一类的话，虽然不能完全生效，可是“先入为主”的作用也很大，假使没有“事实”打破他们心里的成见，光靠火线上递过去的标语，传单，口号等，决不能立时转换过敌人的观念来。

而且，照例从敌对方面传递过来的宣传品，不能任意散发传阅的，有许多兵士怕长官责罚，即使拾到了，立时就会毁灭去的，或拿去报功。特别在敌人法西斯蒂的军阀部队中，兵士在高压之下，这样的情形一定更多。结果我们花了很多钱，费了很多力气，只变成一堆火灰未免太可惜了。

当然，我们也不是绝端反对这样的作风，或许在某种情况底下，这样的作风竟有很大的收获呢。不过这只能算一个副的工作手段；正的工作手段应该是对敌人正确的行为，以及“侧击”的方法。

一、对被俘的敌人，应采取宽大和平的态度，尽量鼓吹中日两大民族亲密的必要，以及中国政府与人民一贯真诚的态度；更进而揭发日军阀欺骗日本大众，破坏东亚和平乃至世界和平之罪恶；最后指明日本大众应取如何正确的行动共同唾弃军阀，打倒军阀。用真诚亲爱的表情溶化他，放他们回去。

二、有敌人落伍或伤病的人员，一律予以善意真诚款待。

三、动员老年人或化装乞丐与小贩，混入敌军附近实行兵运。

四、能操日本语者，充日本商人，对军队民众鼓动。

五、设法与敌部队中前进分子联络。

六、将做好的假“会议录”遗落路上，让敌人拾去，其中包括优待敌俘虏之决议，及悬赏条文等，下级军官与士兵秘密阅读最生效力，并且这和宣传标语，传单等性质绝不相同。（但不可常有）

七、有时可用油印“上峰告诫必须优待俘虏及俘虏挟枪来降，杀长来降之赏格”的格式。

这样敌人从侧面获得很多消息，又证之我对俘虏的优待，他们必然深信不疑，只要本性忠良，决不愿再对我继续作战，被迫不已，火线上亦必乐于来归，如果我们工作有效的话，俘虏有哭着不愿再回去的一天。

游击战术的动作

一九　游击战怎样配合主力战

全面抗日游击战最主要的特质，就在配合主力战和敌人决斗，如果违反了或放弃了这一特质，就根本失却了此一时代游击战的作用。因此这里首先研究，游击战怎样去配合主力战？对这问题没有清楚的了解，或只具有配合主力战的观念与意识，结果仍然空洞，与抗战形成脱节。

游击战要配合主力战，必须先抓住一个中心；就是说，从全般局部着眼，现阶段战略的中心任务是什么？

看准了这个中心任务，四面八方的游击队就协同军队把火力集中而完成这一点。

譬如，目前的第一个战略中心任务，应该是保卫武汉，所以就得保卫徐州。因为徐州如果失守，整个津浦路被贯通无疑，且陇海路立即给敌人控制，西下郑州与平汉路南进之敌相接，然后一路顺平汉路直下，一路溯长江而上，虽然实在情况的发展，不致如此容易，但给武汉加增危险，则系必然。

这一个时期，我们不能尽观望徐州的守军，发挥其神勇孤独死守；要全国的游击队，全国的人民，都把火力集中这一点，或作内助，或下外力，誓死保卫。我相信，大徐州永远是我们的！谁能夺去一分一毫？即使退一步说，有一天徐州依然在敌人残猛的飞机和大炮下丢掉了，可是我们下过一番力量，至少也把敌人拖得精疲力倦焦头烂额。

可是怎样集中火力呢？并不是说要各地的游击队都走到徐州附近去，把火力集中，帮助正规军战斗；而是：

一、向几条主要的交通线靠拢，截断敌人控制下的铁路公路，牵制敌人战略与战术的行使，以及军队或军需品的运输和调动，使敌人前方作战的部队与后方或此战场与彼战场间之联络完全割断。

二、在战区，特别是战场附近，对敌人实行绝对的坚壁清野的政策。

三、对战场后方驻防的敌人，不断予以大的袭击。一方面逐次消减其战斗力，另一方面尤其使它不能向前方作战部队增援。

四、我主力部队再从而采取机敏的攻击。

敌人处在这样前后不能联络，首尾不能兼顾，粮食断绝，子弹耗尽的环境中，再加以我正规军与游击队前后左右，四面八方不断的进攻，试问：敌人不死，还能不败么？而且那种败，决不是一线的动摇，乃是全局崩溃。

所以说，游击战能切实和主力战配合起来，它的力量是非常伟大的，如果仅躲在某个不关重要的角落上，和老鼠般偷偷摸摸的去袭击一下敌人，抢两支枪，拉一匹马，以为了不起了，那简直滑稽！那能算全面抗战的游击战呢？

二〇　游击战袭击敌人应有的准备

很多人以为游击战，是游来游去，碰到敌人就击，碰不到就再游，这样简直把游击战看成一种毫无计划，毫无部署的战术了。无计划，无部署的战术，只有在原始的战争形态里才有，那和近视眼一般，撞到眼面前才打，说不定后面又有敌人来了，决不能有所成就的，而且它对整个战局没有估计。

游击战固然要游击，不断的游击。可是游是有定向的游，击是有计划的击；决不是瞎游，盲击。这就是说在游击敌人之先，有它一定的部署与准备的。

当游击队袭击敌人之先，必须作下列各项的充分准备：

一、侦探所要袭击之敌人的兵力和兵种。

因为知道了敌人的兵力和兵种，才能适当应付。所谓兵力，不仅指敌人的部队大小。举凡人员，武器，弹药，粮秣，及人员训练的程度，思想的倾向，攻击精神，指挥官的能力，决心；武器的种类，武器的效力；弹药的数量，弹药种类；粮秣的多寡，粮秣的来源等总合的战斗力都包括在兵力中。至于兵种，就是陆军的步、骑、炮、工、辎，以及空军、海军、海军陆战队等。

二、调查或研究敌驻在地或经过地的地形详况，以及敌人戒备的状况和程度。

地形对军事上的影响很大，敌人的戒备状况和程度，尤其关系袭击的行动，出击之前，必须熟审以订整个进袭的计划。

三、调查临近敌军的兵力兵种，及该部队驻在地或经过地的方向，距离，和主要的交通路。

当我们袭击敌人的时候，如果临近不远有它们的部队，那部队马上就会来增援或包抄我们。所以，事先要调查清楚，或断绝它中间的交通路，并派队切断它中间的联络；或派小队，径至该部队驻地或附近骚扰牵制。

四、和队员讨论这一次去袭击的重要意义，和战略，战术，战斗等方法。

这在袭击上是非常重要的，因为要使每个战斗员都能不屈不挠，自发独断的战斗，就必须使他充分了解，战斗的意义和战斗的方法。率领着一群盲从的大众，决不会发出坚强的战斗力。

五、向居民，特别对不十分可靠的居民，要散布相反的谣传，使间接传给敌人，疏其防范。

居民中通常有两种人：一种就是汉奸，他们听到消息，立即就给敌人报信；第二种人不是汉奸，或许是顶忠实的人，可是守不住秘密，听到消息就不知不觉的传出去了。因此，对居民千万不要讨论军事行动，即使最忠实的，除非要派他担任任务，也不轻易的谈说。散布相反的谣传往往有利。

六、将负伤或生病的队员，安置在一个妥当的地方，使他们可能安心养息。

这一方面是宝贵队员，希望他很快养息康健了又增加上游击的力量，另一方面给队员乃至群众一个安慰，所以这也是增进情感与团结的一个要着。

七、关于武器、弹药、被服、给养等必须携带的东西，预先作一个准备。

通常游击队不能带笨重的东西，特别预备去袭击敌人，尤其要轻装出发，凡是不便的物件如给养等，可以找适当的地方把它存储起来。

八、规定行进与战斗间，一切必要的指挥与联络的暗号。

暗号是敌人看了不懂的记号，譬如用白旗向上一扬，规定这就代表前进的记号；红旗向上一扬，代表退却的记号；其他用哨音，号音，照明弹等。

规定暗号必须注意几个原则：

1. 同时规定的暗号种类不要太多了，多了就不容易。

2. 暗号内容要力求简单明了，使人一看就懂。

3. 重要暗号如前进，退却及其他要每次更换。

九、分配出发路线。

以求行军迅速，减小目标。

十、分配战斗任务。

使各有专职相互协同，以免临事混乱。

十一、规定胜利后的处理，和民运工作的步骤。

胜利以后，是不是追击？怎样处理胜利的场面，和做民运工作的步骤？都得事先有个估计。

十二、规定撤退顺序及万一失败后的集合地。

撤退不必失败，胜利后也应该撤退。无论撤退与失败，都计算好，这样就是失败，也不至于溃乱。

最后还得重复地说一句：作以上各项准备的时候，特别要注意到缜密与秘密。

二一　游击队的战法和要领

游击队的战法，好像五花八门，不胜枚举，然而综合起来却只有下列三种：

一、骚扰；

二、牵制；

三、扑灭。

其他一切行动都是围绕着这三种战法的技巧与方术。

现在我们就这三种，分别说明其意义与战斗要领。

骚扰——避开正面目的冲突和战斗，在不意的时间，方向和地段内若隐若现运用种种方式，使敌人寝食不安身心无主。

这种战法虽然不能立时使敌人受如何重大的打击与损失，但使敌人精神疲惫，应对不暇而贻我以袭击的好机会，或完成我另一方面的工作，则是非常有效的。

实施这种战法，以轻巧灵活为主。人数要少，散开要阔。出没无定，来去无常。当敌人注意到这个方面，立即又转换一个方向；敌人认真搜索起来了，可以暂且避开；敌人搜索不出，刚要静息下去，又跳出来干一阵。这就等于夏天的苍蝇给人的骚扰一般，它飞在鼻尖上，手一举，它飞了；可是你的手刚放下来，它又站在你的鼻尖上了；一个人会给苍蝇弄的五心烦躁！

骚扰的方术，通常站在远一点的位置打枪，其实不一定用打枪的方法。在敌人驻在地附近放火，或者造可怕的谣言，都可以达成骚扰的目的。

其次谈到骚扰的时机。本来，只要出乎敌人意料之外，什么时候都可以；不过，顶好以夜间十点钟以后，断续几次，和敌正吃饭或正做工的时候为最有利。

牵制——是游击队最主要的战法，在整个战局上说，游击战就是牵制战，四方八面牵制和骚扰敌人。它是运用轻巧的力量，吸引住敌人一部分注意力与战斗力，而予我游击队或正规军在另一方面攻击敌人之便利。

实施这种战法的时候，被派遣的即担任的部队必须彻底明了自己的任务，和应采取的战斗行动，大概顶要注意的是下列的几件事：

1. 千万不要进入真面目的严重的战斗。

2. 当主战方面没有告一个战斗的段落以前，决不放弃当前被吸引的敌人。

3. 牵制的方面要不断求新的扩张。

4. 严防上反牵制的当。（即我牵制敌人，结果敌人用少数兵力反牵制我。）

扑灭——所谓扑灭，是运用灵活机警的战法，神速勇猛地向敌人袭击，而击溃敌全部或一部，更以果敢动作从而扩张歼灭之。

实施此一战法，必须有前节所述的各项充分准备，与神速而秘密的行动，更以勇猛果敢而结其局，以后将分项论述。

二二　怎样袭击优势敌人

以弱势的力量去和优势的敌人，甚至优越几十倍乃至几百倍的敌人斗争，在一般事理上决没有胜利的可能，相反是一种冒险，送命的行为。

然而弱小民族对强暴的侵略者抗战，从整个局势上说，根本就是一种弱势与优势的对垒。如果说以弱势的力量去和优势敌人决斗，只是冒险送命，决无胜利的可能，那么，每一个弱小民族只有束手待毙了。因此这种刻板的公式主义的推算，必须部分加以否定。

而且游击队，因产生的环境与时间等关系，在人员的多寡，训练的精度，和物质条件等方面，通常比敌人形成弱势，难不成游击队就不敢在优势的敌人面前游击了么？因此更暴露那种刻板的公式主义说法之不正确。

一个力量最弱的最小的游击队，它为了切实的肩负起伟大的抗日的部分任务，必须首先坚决的自信：

“一定能和优势的敌人相周旋，毫无疑惧。”

这样才表示了它政治意识的坚确；才能不屈不挠地勇敢前进，和敌人搏斗到底。

可是仅恃爱国的热忱和杀敌的勇气，还是不够和敌人周旋，更不够予敌以致命的重创。所以我们除开必具的坚决自信以外，更要进一步去研究对优势敌怎样袭击。

对优势敌人袭击，一定要生硬硬的非把它扑灭不可，这是一种过分机械而愚蠢的想法。此刻，我仅能计划怎样去实施袭击，至于袭击以后会得着什么结果，这固然在计划的是否周详方面有关系，但袭击过程中是否努力，敌情的变化，与机动的处理都很重要。

通常袭击，特别对优势敌人袭击的最高的胜利原则有两点：

一、秘密而周详的准备；

二、突然而果敢的冲击。

所以，我们可以把整个袭击的过程，划分为准备与战斗两大部分。从发生而肯定袭击的意念时起，直到冲击敌人的前一秒钟止，都可以划归在准备时期中。

这准备时期中，除开本书第二〇课“游击战袭击敌人应有的准备”所指出的各项，应周密注意外，尤须运用种种技巧，以求达成秘密准备的目的：

1. 进行各项准备，不要形成忙乱的状态；

2. 散布反消息应取神秘的态度，偶然脱口，又表示追悔的神气，使敌人深信不疑；

3. 不要向居民打听到袭击地的道路和里程；

4. 出发的时间最好是黄昏以后；

5. 初出发时最好绕其他相反的道路前进，然后再秘密走回正路；

6. 在路途中不讲话，不点火，不吸烟，不发音响，不装子弹；

7. 在中途遇意外的敌警戒部队或其他，应设法绕道前进，决不发生战斗与小冲突；

8. 到达敌人驻地附近，或先解决敌步哨，或绕过敌警戒线；

9. 决不射击，即敌人发觉，向我射击，亦不还击；

10. 用最勇猛而轻捷的步法，迅速扑近敌人，此后则立即转换到战斗时期。

在战斗时期中最主要的必须做到下列几点：

1. 假使这时敌人还在睡梦中或其他工作与休息中，完全没有觉察，当然最有利；即使敌人已觉察，且据村庄边缘或阵地作猛烈射击，亦不顾一切，不喊“杀”勇猛冲进；

2. 预先分配之各路，要同时动作；

3. 分别先对一点突破；

4. 迅速向横的方面与纵的方面扩张；

5. 要一直和敌人靠拢着，使其他敌兵不能射击，不及射击；

6. 冲在敌人的中间，使敌自相残杀，自伤践踏；

7. 当敌人退却时要拼命追击，使成逃窜；

8. 敌人部队过大，获得一部胜利就要适可而止，及时撤退。

不管敌人兵力如何雄厚，突然遭受这样一次袭击，必然秩序混乱，特别在黑夜中，游击队既然不喊“杀”，横冲直撞，敌人只看见自己的部队撤退，逃窜。刚从睡梦中起来，情况完全不明，真不知道游击队的势力有几大？等待定一定神勉强站住脚，游击队就轻巧的走了。

这种袭击的方术，虽不能使敌人的物质受若何重大的损失，然而从打击敌人的精神说是绝对胜利的！

二三　对弱势敌战斗的法则

所谓弱势敌，此地先加以解释：我游击队和驻扎或经过某地部分的敌人相比较，我们的人数占绝对多数；或探听某地实有的敌人的兵力，然后联络附近地区的数个游击队之优于敌人的力量，共同对敌采取包围夹击的姿态。

对弱势敌人作战，一般人常认为容易。特别已经知道了对优势敌袭击的一般要领后，更没有把弱势敌人放在眼里。这是不对的！而且不仅是认识上的错误，直截就是方法上的错误。

以同样的兵力，对优势敌可以小心翼翼的打一个胜仗，然而常自高自大的败挫在弱势敌的手底下。这如果用一句古典来讲，即所谓“骄兵必败”！

因此，我们对弱势敌战斗的第一个胜利法则就是：不轻敌！

即使敌人本身的力量实在很小，我们对付它也得谨慎小心。古人说“胆大心细”，正合我们这里的需要。

第二个法则：要仔细研究敌人的环境。

这有两个意义：

1. 想“一网打尽”敌人（对弱势敌必有绝对歼灭它的计划），必须周密考虑地形上和情况上究竟怎样进兵才适当，才轻易？

2. 敌人和其邻敌相互联络的程度如何？当我们袭击这一部分的时候，其邻敌最快要几多时间才能赶到？有没有办法可以阻止它来援救被袭击的敌人？

我们在计划的时候能注意到这些，而且精确的推算，必须在开始袭击后几多时间内结束这一战斗任务，那么才可以保证计划的完成。

第三个法则：要用最小的牺牲，换取绝对的胜利。

虽然我们对一切都顾全周到，而且我们控制的力量，已毫无问题的足够完全解决这一部分敌人，把握住胜利；可是我们必须更进一步认识当前一部分敌人在某种情况底下，形成弱势，依然有它的特质：

1. 敌人的兵力虽然单薄，可是，它们使用的兵器效能，却非常强大。

2. 敌人愈少，愈容易借坚固的壁垒（如城壁，围墙，家屋等）把守，使缺乏炮火的游击队无法进攻。

3. 敌兵在军阀的恐怖政策和反宣传作用底下，绝对死守不敢轻易缴枪投降。

所以，处在这样的情形下面，如果没有很好的战斗方术，即使胜利，亦必付与极大的交换价值——游击队本身过重的伤亡。

像这样的胜利，游击队是不是上算呢？恐怕只有最愚鲁的最没有脑筋的领导者才会干出来。

无论如何游击队不能以最大的牺牲换取胜利的。特别对弱势的敌人，更不应该付以极大的牺牲，做胜利，些微胜利的交换品。

因此，在战斗技巧方面必须研究：

1. 当然还是要按秘密准备与突然冲击的原则；

2. 如果敌人顽强抵抗而且守坚不出，那么顶好：

A. 放一条路让他逃（先派埋伏），然后引诱在野外歼灭它；

B. 用政治手腕劝服，并予以安全的保证；

C. 利用地形跃进，而接近敌人；

D. 最近华北游击队用洋油灌烧，亦可效仿。

总之，在最小牺牲的法则底下，可以适应当时环境的许可，采取任何有利的方式战斗。

二四　袭击敌行军纵队

袭击敌人的行军纵队，可以在两种形式底下进行：

一、有计划的袭击——预先探知敌人部队若干，将从某地出发，经过某某等处，于是先期预定袭击地点，而从事必要的布置。

二、遭遇的袭击——游击队临时探知敌人在附近经过，或行军途中，发觉敌前进或侧进的部队而即立刻作袭击的布置。

只要游击队的动作灵活，战法巧妙，在两种形式底下，都可以获得相当的胜利。不过，能预先探知敌人的行动，作有计划的袭击，则更有把握。

当探听到敌人的部队一准在某一天经某某路线，向某地移动（探听的要领容后论述），必须尽速传递消息给游击队。

游击队接获此项消息，即刻准据敌人行将经过的道路，在图上作地形全般观察，按袭击的企图，分别判断与比较各点的价值。而后时间裕余，复作实地调查与研究，决定最利于埋伏及出击之地点。

此时，更应运用战术眼光，推测敌人遭受袭击，将作如何处置？我队又如何跟随转移？特别要注意到，我袭击以后向那一个方面退却？（撤退）

如果敌人分两个或三个纵队并进，其相互间隔离若干里程？在短时间袭击中，敌另一队是否可以来援？

考虑清楚以后，定全般的袭击计划与兵力部署，这是有计划袭击的准备工作。

至于遭遇敌袭击呢，当然不会有如许充裕的准备时间。如果在行军途中碰见，立即就地或向附近利用地形隐蔽，这时最紧要的一着，就是不过早让敌人发觉了！

部队既经隐蔽以后，不可长时间疑迟，速按当地情势，定出袭击计划。

其次谈到出袭，这在两种形式底下没有什么区别。

先说出袭的时机：一般出袭多半在敌人来到切近的时候。但这里是值得研究的。如果很大的部队刚来到切近，游击队立时出袭，这只有使敌人整个部队站住脚，而作战斗的充分准备；即使敌部队先头几个人，稍稍吃了亏，但游击队处在这样广大完整的部队面前，不会占到便宜的。游击队出击，最好选下列几个时机：

1. 小部队约一百人至二百人左右，其先头到达时；

2. 大部队约三百至一千人左右，部队通过一半时；

3. 一万人左右，在行军路旁截为数段，同时出击；

4. 部队过大，一师团以上，若无良好地形可作数段袭击时，可任部队将次通过完毕，而击其尾段；

5. 若敌行军纵列中夹有炮兵，可袭击尾随炮兵之部队。

有时未到出击时机，已被敌人发觉或在遭遇中根本不及隐蔽，则立即向敌人部队冲去，这可以说是例外的出击。

出击的方法可以说简单也可以说复杂。出击的时候，要分别掩护部队与冲击部队。掩护部队自始至终担任掩护，当出击的时机一到，掩护人员首先发难，对准敌人的行列，给以一阵极猛烈的射击；立时冲击部队就紧紧出现在敌人的胸膛前面，接住敌人的武器。这时掩护部队终止射击，尽冲击部队向敌人包围，缴枪。有时掩护部队只停止在掩护的地位，根本不射击，由冲击部队不知觉的包围上去缴了他们部分的枪支。

这时冲击部队一方面要尽量扩张战果，争取更大的胜利；另一方面，要度敌人演变的形势和自己的力量，适时撤退，切不要等待敌人左右迂回来反攻，连自己也走不脱身。

当冲击部队决计撤退时，应先遣搬运胜利品的人员撤退，然后自己再在掩护部队底下脱离战场。掩护部队则借地形保障，从容引退。

假使能把撤退的时间，整个配当在黄昏和夜晚，则更加有利，不过敌人的行军纵列，不一定配合在将近黄昏或夜晚才给我们袭击的。因此，撤退的方向值得考虑，最好找地形极其复杂或是河流，通过后由掩护部队断其桥梁。

二五　袭击敌人的运输队

袭击敌人的运输队有两个主要的目的：

一、断绝或减少敌人的军需品接济，以削弱或窒息其战斗力量；

二、补充我游击队的军需品，使我战斗力量更形活跃。

所以无论在那一方面，对敌人的运输队都必须作积极有效的袭击。千万不要以为袭击运输队没有袭击部队那样重要。在战争剧烈的时期，后方军需品的运输，成为战事的命脉；特别在这全面抗战时期，如果我各地同胞切实施行坚壁清野政策，饥困敌人，则深入腹地的敌军的生命与战斗力的维系，全靠它后方运输，我各地游击队能切实起来作有效的袭击，这更是一个战略的战术行动，关系于全面抗战的胜利极大。

袭击运输队，要先看地理形势：靠铁路线的敌人运输，多半用列车载运。因此，我们对这种运输队袭击，必须先探听敌运输列车某日几点几十分钟，从某站开出，先期在适当的地点拆毁铁轨。在这里顶好计算列车夜晚经过的地点，因为那时，列车一出轨道，纵使列车的掩护部队还有拒抗的能力，可是在那仓皇，黑暗与混乱的中间，游击队用最敏捷的步法，和敌人混在一堆，常使敌人旋展不开，失却战斗力。

沿公路线，敌人的运输是用装载汽车。我们事先探听或临时发觉，都可以赶上袭击，因为汽车的冲力不像火车那样大，随时在路面上堆积障碍物或炸毁桥梁，就可以阻止它前进。有时连续对准它射击，也可以消失它继续前进的勇气。

零碎的军需品输送，至多一辆两辆汽车，上面有四五个警卫兵士，对这种运输车辆的袭击，简直毫没有问题。但比较重要或多量的军需品，有连贯几十辆车，警卫队一小队至一中队那就得当心了。

在乡村小路或山路中，敌运输的主要方式是运用人力与驮载。游击队先期埋伏在一个地点，也可以在路面上堆积一些障碍；其实不堆障碍也可以，当敌运输队来到，立即给一排枪，或者就这样赶上去，把先头的人马或车辆翻倒，后面立即就得拥塞而混乱得一塌糊涂。为顾虑它反转头向后跑，那么后尾也同时给以打击；不过，在狭隘的路面上，车马企图转头是不容易的，因此，这种顾虑比较少。

特别在这种运输队前面最有利的情形是没有受惯惊吓的挑夫和马匹，会乱窜，乱跑，乱跳起来，让游击队更好着手。

关于袭击的地点和对付掩护队的方法，在三种不同的地点和不同的对象中，却有它们内在的统一性；所以，此刻我们要把它们汇合起来说。

袭击的地点，关系袭击成功与否很大，在原则上，袭击地点必须具备下列各条款：

一、地点险阻狭隘，如山峡，隘路，谷底等；

二、距离敌驻军或护路部队较远，纵使该部队获讯，一时不及赶来；

三、距车站及一般修路工程处较远，既没有电话联络，又不能及时修复。

对敌运输的掩护队不可轻视，但亦不必过分重视，以少数人牵制吸引为原则。主要工作，还是对运输队的本身。（怎样处理截获的军需品，容后讨论。）

二六　游击队埋伏的要领

埋伏是游击队最重要的一个战斗技巧，也可以说是游击战的一个根本方术。游击队因为力量薄弱，对敌人实施不意的袭击，处处都和埋伏分割不开。而且这种埋伏技巧不仅运用在部队对敌人的行军纵列，和各种运输队袭击的方面；有时我三数侦探，或单独的潜伏兵，侦察敌人的消息，截击敌人的通信员，也都要埋伏。

从表面上看，埋伏不是一件困难的事，普通一个小孩子，也能躲在门后面草堆里吓人。然而它却有很多战术上的研究。

关于埋伏地点的选择，必须用战术眼光加以考虑：

一、遮蔽良好。

埋伏的第一个要点，当然要在没有出击之前，完全不让敌人发觉，因此，必须注重遮蔽。要遮蔽良好，就得合乎下列两个原则：

1. 利用天然或人工的地物，服装，或伪装物质，和附近景物的颜色完全一致。

2. 要在交通不便，即行人不会走到的地点。

二、视界广阔。

埋伏部队仅仅不让敌人发觉，自己也不能发觉敌人，同样没有用，所以第二个要点，眼睛要能看得出去。

三、便于出击。

所谓便于出击，是游击队有出击企图的话，那么这个地点必须便于一口气扑近敌人的身边。如果想出击，而埋伏在断绝地，或水塘的那一边，是不合理的。

四、便于射击。

游击队出击，虽然不是绝对要射击，但射击的准备不得不有，如果埋伏的地点，不能向经过的敌人发射，这个地点是不利的。

五、消灭敌人的战斗威力。

把敌人配置在山峡，谷底，隘路口等处，部队既不能开展，火器，特别炮兵又不能射击；这时敌人在仓皇失措中，整个听我们摆布的。

六、其次，按目的而决定远近。

游击队埋伏以后，不一定完全正面目的出击，有时仅对敌大部队施行骚扰。因此，目的上企图正面目出击，就要靠敌人经过的地点近些；目的只在扰乱敌人，而且要顾虑到脱逃便利，必须离开远些，以射击有效距离为范围。

最后，要说到配置埋伏与埋伏中应有的注意：

一、配置埋伏要考虑到时间不可太长。因为时间太长，埋伏的人就疲倦了，或饥饿了，这时睡觉的也有，走动的也有，谈话的也有，吸烟的也有，至少大小便总要去解决的，因此精神涣散，目标暴露。

二、配置埋伏部队不必在光天化日底下进行；至少要避开附近居民，或田里工作的农民的视线。

三、在埋伏中绝对不要任意移动位置致发生音响，或景物动摇。

四、在埋伏中要忍耐咳嗽。如果有患伤风病，咳嗽不能制止，则应留守后方，不应参加埋伏，而致暴露整个部队；其他有偶然咳嗽者，必须极力忍受，万不得已时，亦必用毛巾掩口，消灭或减低声浪。

五、在埋伏中禁止谈话，如因下达命令，或必要的商讨，必须附耳细语。

六、在埋伏中绝对不可吸烟，不仅在夜晚怕火光发出，白昼烟雾缭绕，亦足以呈现目标。

七、在埋伏之前大小便即应处理清楚，埋伏中任意大小便，实在禁止之列，倘有小便不能忍受时，可就地便溺。

八、在埋伏中不可睡眠或假寐，相反地要不断监视敌方，以免疏忽，而误事机，或遭危险。

二七　游击队射击时机

射击时机，似乎是属于战斗技巧中的一个小问题。然而它关系着游击战部分或全部的命运。它最主要的关系有下列几点：

一、射击时机不恰当，妨碍了整个袭击计划的顺利达成；甚至粉碎了自己的袭击计划。

譬如准备去袭击敌人，过早射击惹起敌人全面的戒备无异向敌人报信，这样袭击计划是妨碍或粉碎了的；有时过迟射击给敌人充分而从容的准备时间，无异增加敌人抵抗或进攻的力量，对我们是非常不利。

二、射击时机不恰当，不当开始而开始，当停而不停，浪费子弹，使以后战斗受影响。

游击队的子弹没有固定的来源，虽然有时可以缴夺敌人的子弹，但那是例外的，打一颗子弹，就少一颗子弹，在最紧要的关头上，没有一颗子弹，的确是够着急的。因此，游击队的子弹，应该比命还宝贵，不到最需要的时候，决不轻放一枪。

在什么时候情况和程度底下，游击队才开始射击或停止射击呢？现在我们分析开来说。

按原则方面说，游击队务必少射击多肉搏。而且有时借不射击，更能秘密运动，出敌意表。即使敌人已经发觉了我游击队，用猛烈的火力拒止，然而游击队不还击，勇往迈进，一若常态，这比停止下来射击给予敌人的威胁来得更大。

可是，游击队还是有它射击的时机：

一、为扰乱敌人，没有其他方法，或不及用其他方法时，则从远距离对准敌驻扎地，步哨，行军纵列等射击。（三数发足矣，不必浪费更多子弹。）

二、企图向敌人袭击，进至最近距离，已被敌人发觉，为掩护我冲击部队顺利进行战斗起见，可以射击掩护。

三、为拒止敌人援队来到，远距离即可对准其部队先头射击。

四、为截夺敌运输队，牵制敌掩护队，应加以射击。

五、追击敌人，包抄至敌人先头，敌犹思逃窜时，以射击制止之。

六、发现敌传令兵士，通信犬，鸽，无其他方法可以捕获时，则射杀之。

七、敌人向我进攻，除在远距离即予射击，促其分散而迟滞前进外（中段停止射击），当敌到达最近距离，以猛烈枪火歼灭于阵地前端。

八、我队撤退或退却，敌人乘机追击，则我掩护部队极力射击拒止之。

九、此外我设置疑兵于某处，为使敌人不疑，由疑兵数人努力射击。

相反的如遇下列各时期，则应停止射击或不发射击：

一、我冲击部队已冲入敌驻地，阵地，或行列内部，我掩护部队即应停止射击。

二、敌人利用地形掩蔽，或远逸，我即应停止射击。

三、进至敌人面前，特别对敌人的步哨不应射击，且不让敌人射击。

四、追击而不能包抄敌人，不必射击，徒然增加其退却的速度。不过，有时为使其形成逃窜起见而射击，则不在此例。

五、夜间袭击不应射击。

六、部队秘密运动中不应射击。

因为射击的关系很大，有时不仅对射击禁止，而且为慎重起见，不到准备射击的时候，枪里不准装子弹，防恐走火。

二八　游击队的智谋战斗

两军相敌，斗勇为末，斗智为上，这应该是一切兵家的盘铭。特别以弱势的游击队和优势物质的敌军相对垒，如果仅恃勇敢的机械战斗，非独不易达成“以最小牺牲，换取最大成功”的原则，有时且相反的被敌人击溃歼灭。

所以一个有办法的游击队，它必然善用智谋，虽不必使广大的敌军，踯躅战场，全部失却战斗的勇气与能力，但最低也可以促使敌人疑惑不定，仓皇混乱，予我以分解袭击的好机。

那么智谋是什么呢?

简单的解释：智谋是适应当时的敌情，地形与我军企图，而运用的一种使敌人迷惑的奇异的方术。

因此，我们不能机械地说，智谋是那些事，怎样运用的；它必须适应当时种种，临机应变而产生。

不过，在这里我们可以根据“奇战”的种种形式说明，以理解智谋战斗的一部分。

奇战概略有下列数种：

一、声东击西。

就是说，口头上，行为的姿态上，表露着攻击重点指向东边；然而实际上的准备是击西边。这也就是前面第二十课所指出的：在袭击以前对居民散布相反谣传。不过，仅仅靠那一点还是不够的，要进行声东击西的方术还得要从其他行动上多多反映。譬如：

1. 不断向“东边”派遣搜索；

2. 与“东边”的居民联络；

3. 多处探听往“东边”去有几条道路？有几多里？

4. 觅雇熟悉“东边”道路的向导；

5. 临出发时先向“东边”道路进发。

这些都是游击队可能做到的，普通车队所能反映的行动，当然还不止这些。

二、设置疑兵。

所谓疑兵，是用极少数的人占据某一个地点，虚张声势。譬如：

1. 用许多帽子衣服，披在树上，草上，黑压压的排满了一山头，只要一两个人指手划脚的来回活动，敌人老远看来，活像两个指挥官率领了一大队人。

2. 用两三个人在山头上拼命射击，再加上两个号兵吹“调队伍”或“前进”等号音；敌人很不容易猜透这里到底蕴藏了几多人。

3. 用五个人或十个人，从显明的地方跑步上山，立即又顺隐蔽的地方下去，这样循环不断的跑，敌人远远看来，时间愈长显得上山的人数愈多。如果敌人看一点钟，五个人在敌人的脑子里，至少会变成五百个人；而且亲眼所见，深信不疑。

4. 从前张飞在马尾上绑树枝，骑在马身上，打着马在树林里拼命奔，尘灰飞扬，敌人以为伏兵很多。这办法在今天也未尝不可以用。

总之，只使敌人“信以为真”的“空城计”，而不违背实地的需要，都可以使用。

三、佯攻诈败。

不真正的攻，称为佯攻。有企图的败，称为诈败。多半佯攻是用在牵制或骚扰方面，使敌人不能向其他方面移动，并疲劳其兵力，以完成或便利我另一方的任务。诈败则预先布有埋伏，或分数路呈现溃败模样，以分散敌人的追兵，而后会同埋伏部队解决一部或全部。这当敌人小部队坚守不出，无法解决时，用诈败的方术引诱而击灭，最为有利。

但是佯攻与诈败的时候，务必表现到真正攻，与真正惨败的程度。

总之，一切奇术必须深深体验，怎样才能切合实际。如果一露马脚不仅不能获得便宜，立即就会惨败。

其次，不能每天像公式般的应用，虚，实，正，奇，要相互配合，要相互变化，然后才能克尽智谋的巧妙。

这里所指出的，决不能包括智谋两个字，智谋的运用，主要的还在适应当时的敌情，地形，与我军企图，临机活用，以奇制胜。

二九　游击队夜间袭敌的动作

普通人走夜路，已经感到很困难；如果没有灯火，又遇着黑天，那更是加倍困难了。可是相反地，夜，特别最黑的夜，是游击队的好朋友。游击队的主要活动与战斗，其安全的保障，与成功的要素，是大部仰靠着夜的赐予。

然而在夜间进行各种运动与袭击敌人，也的确不是件容易的事。它给人们最大的障碍有下列几点：

一、减弱视力。

一个目力最好的人，夜晚也不能纵目远眺。甚至眼面前路面的高低，也看不清楚。因此，附带发生许多问题：

1. 容易跌倒，而至发生意外的音响；

2. 增大恐怖心。因为看不清楚，一棵树，一块石头，也以为是敌人（普通人以为是鬼）；

3. 失却联络。在黑暗中又不好叫喊，偶然停顿一下，常找不到自己的部队和同伴到那儿去了；

4. 不能早一点发现敌情。因为眼睛看不到一百公尺以外去，敌人部队的活动，步哨的配置，以及其他足以妨碍与打击我们的情况，不进到最近距离不能发觉，因此不能预作有把握的布置与准备。

二、音响容易传播。

夜间，鸦鹊无声，人们都停止了喧闹与工作，在快乐的酣睡里；大地上寂静得一点儿声息也找不出。这时，从某一个角落上，只要发出一点滴声音来，立即就和自由的鸟儿般，随着空气的波荡，无限制的展开去，因此也给了夜间活动的人们一个很大的障碍。

走路的声响，低声的谈话，忍耐不住的咳嗽，和无意中的跌倒，武器的碰击，子弹走火……随时都有被敌人发觉的危险，而失去运动的秘密性。

三、火光传达更快。

正因为大地上一团漆黑，传达最快的光，在这里更无法遏止。用灯光照射着走路，和疲倦中吸香烟，都成为绝对不可能的事。

这些都是障碍，但从另一种观点上说，这些又构成夜袭的有利的条件。

游击队正好利用夜的黑衣，隐藏着和敌人接近；即使敌人加意警戒，可是在他减弱了视力的障碍底下，不进到他最近的距离——面前，他很难发觉我们的行动的。而且，夜晚多半是人们酣睡的时候，只要我们的动作合适，通常可以获得袭击的最大和有把握的胜利。

现在我们要具体说，夜间去袭击敌人，动作上应该如何注意。

一、出发前：

按前面指出的可能发生的各种障碍，在出发以前，必须作下列诸准备。

1. 调查有夜盲（一到夜晚眼睛就失却作用似的，这样病常有）的队员留下；

2. 解大小便，在路上如果离开队伍大便，常常失却联络；

3. 穿软底鞋，皮底鞋之类最容易发生音响，并且容易跌倒；

4. 将枪，刺刀及其他携带物品绑扎坚实，不要让它摇摆碰击发生音响；

5. 枪里不准装子弹，防恐走火；

6. 将今晚目的地和各部分走的路线宣传给大家，以免失却联络后，无处寻觅部队。

二、行进中：

在行进中仍有许多值得注意的事。

1. 始终保持静肃行进，鞋底不要磨擦地面；

2. 要抬头看前面的人，天太黑，可以在每个人的背上挂一方白的布片或手巾；

3. 始终跟住前面行进的人，同时要注意和招呼后面的人跟着自己；

4. 不离开队伍，万一要小便，或提鞋子，要赶紧跟上；

5. 不要跑步，跑步容易跌倒，容易发声音；

6. 不要谈话，必要的话要附着耳朵，边走边说；

7. 不要咳嗽，不要吸烟，不要打电筒；

8. 突然发现敌人不要惊喊逃窜；

9. 不要走高地顶上通过，人在高地顶上，影子会透在天空里的；

10. 将近敌人的近旁，更加要小心，慢，不打抢。

三、战斗时：

到达敌人的面前，再进一步就得战斗起来了。在战斗时必须照着下列各项履行：

1. 轻轻上好刺刀，把握紧大刀，有手榴弹的话由指挥员指定几个人准备手榴弹；（没有统制，一次就会把手榴弹抛完了，那简直浪费！）

2. 大家心神不必过度紧张，留心看指挥员的暗号。指挥员暗号一挥，就一股劲儿冲进去；

3. 不喊“杀”，很快地走到敌人面前，接住他们的武器；如果敌人还在睡觉，那更好办了，只要用枪口指住他们，请他们不动，一方面很快地把武器都给收缴了；

4. 如果一部分敌人顽强地起来拒抗，可以不顾虑什么，一直冲进他们队伍中间去，使他们失却自信力，有时并引起自相杀伤。

总之，夜晚只要摸索着冲进敌人阵地或村庄的内部去，无论如何是可以把握住一部分胜利的。不过，我们要注意到两件事：

1. 胜利没有完全把握住以前，要注意，特别要防止附近藏匿的敌人，暴徒——汉奸之流逆袭；

2. 如果没有把握守这一个地点，在天明以前要撤退完毕。

三〇　游击队对敌人来袭的处理

游击队虽然经常的在灵活地不断游动，但它决不能保证绝对不受敌人的包围袭击；而且这种危险，无论在驻军，行军的时候，都有遭遇到的可能。因此，游击队不能光研究怎样去袭击敌人，同时尤要研究：敌人来袭时，该如何适切的处理。

现在我们分驻军与行军两方面说。

驻军

当游击队停留在比较险要或坚固的根据地，虽然平时已有对付敌袭的周密的准备，但丝毫不能以为在这个老家里，可以放浪懈怠一点了；因为愈是根据地，在敌眼中的目标愈大，受敌袭的可能性愈强。

如果游击队离开根据地，到另一生的地方临时宿营，那么它必须考虑：在山顶上或野地里露营呢，还是利用村庄宿营？多半当地民众中的汉奸分子太多，或太接近敌人的驻地，为避免危险起见，则避开村庄，驻扎山顶或野地中；相反，则藉村落宿营。不过，太大的，地势太坏的村落，是不是便于防守或撤退，要审慎一下。

总之，无论驻扎在什么地方，决不能没有敌人袭击的顾虑。

一、要作下列必要的各项准备：

1. 严密侦察与警戒；

2. 在村落或森林的边线上，路口上，山的防界线上设置简单的足以据守的工事或障碍物；

3. 兵力不要分散太广，而且要集中一部分主兵在相当的便于出击，增援，或掩护的地点；

4. 和当地的民众尽可能的联系，取得民众的协助；

5. 每个人不要远离开自己的职守与位置；

6. 夜间要把个人的装具和武器集中而有顺序的放在便于携取的位置。

二、敌人来袭时不要慌乱，沉着地作下列的各项要领应付：

1. 据报敌军过强，不能力敌，当敌军未到达之前，留置掩护队，即刻动员向适当的方向撤退；

2. 侦察敌人分散兵力向我各方面取包围姿态而来，我不能固守原地点时，则立即向敌较薄弱的一方面勇猛突击，以解决其一部，而度量当时情况，再相机撤退；

3. 因侦察与警戒疏忽，或力量薄弱，不意中敌人迫近驻地，游击队不应凌乱逃散，必须勇猛应战，借工事或障碍拒抗，以便其他队员迅速完成应战或退却的准备；

4. 在不意中，驻地已被敌突破，此时游击队指挥员应奋不顾身率领可能集结的人员逆袭；因此时敌人秩序异常混乱，立即逆袭，可转败为胜。同时，不意地被敌突破，我方必有多数或少数队员尚停留在民房中不能外出，立即逆袭，即不能夺回村落，亦可救出未出险的队员。

行军

游击队在行军中要防止与消弭敌人的袭击，可以作下列各项的行动：

1. 避开道路，至少要避开大路，从小路前进；

2. 在山地要避开谷地，山地等险狭的地点，打从山背高而隐蔽的地方经过最有利；

3. 搜索与警卫（前后左右）要严密；

4. 不要喧闹，对地对空都要避蔽；

5. 不要任意进入或经过沿途的村落，因为防有奸人向敌人报信；

6. 大小休息，要利用优越险要的地势，并派警戒。

万一与敌遭遇，或敌人有意截击，应如下应付：

1. 立即隐蔽，观敌动静；

2. 敌人未发觉我队，待其经过而袭击之；

3. 敌人向我包围或攻击前来，即刻应战；

4. 发现敌人声势浩大，即刻部署退却；

5. 倘无意中进入敌包围中，应看准方向，努力向敌人一点迅速突破，此时不可犹豫，待敌人强化其包围程度，则无法脱险；

6. 在我并列前进的另一纵队被敌人袭击，我应即刻在外围策应，若被敌重重包围中，我应突破敌包围，救出我被围的纵队。

胜利后的处理

三一　攻克敌盘据地区之处理

在每个人的脑海里，常常有一个悬想：当游击队克复敌人盘据的地区以后，究竟应该采取如何的处理?

是的，这是值得讨论的问题。

游击队不以攻城夺地为袭击目的，但为争取民众，与解除同胞在敌人铁蹄之下的倒悬；尤其要协助正规战，不断向敌人骚扰牵制，以迅速达成全面抗战胜利的目的，不得不向驻扎与停留在市城村镇中心，即所谓比较繁荣或战略与战术的要点的敌人作猛烈的进袭。

因此游击队在这大前提之下，当攻克敌盘据地区后，决不以歼灭或驱逐了敌人为满足。歼灭或驱逐了敌人，固然算是达成了减弱或打击敌人力量的部分战斗任务，但如果放弃了敌残余势力的肃清，与地方民众运动的两大工作，则胜利的效果是非常微末的。

要进行肃清敌残余势力，应该从下列各项着手：

1. 搜查地区内及地区附近，是否有潜匿的武装敌兵；

2. 搜查民房内有无敌化装人员匿迹；

3. 令民众检举或直接缉拿事实昭彰的汉奸分子；

4. 感化准汉奸分子。

其次，对一般民众要积极进行抗日民族革命战争的宣传，组织，训练，与工作的赋予。说到此地，当然要以克复的程度为依据；因此，也就要附带讨论到：究竟克复一个地点以后，游击队是守着还是仍然放弃？

大概游击队攻克一个地点以后，根据客观的形势，作主观力量的考虑，在下列诸项情形下必然要扼守；相反，当应做的工作完全或部分达成后，就得放弃。

1. 那是一个战术或战略的要点，纵使自己兵力不够守备，但应尽力把握，以待其他部队到来接替；或尽量给予其他方面工作便利之机会；

2. 我兵力雄厚，且民众集结的力量足资后盾；

3. 敌兵力单薄，一时无反攻的能力；

4. 附近广阔地区内，没有驻扎的敌军。

游击队对地方工作的处理，完全依据占领的久暂。通常可能长时期的占领，即下占领而守备该地点的决心时，则工作可以有系统而完善地展开，使当地民众广泛的成为抗日直接的力量。

不过，在这里也得注意：民众愈多，地点愈重要，可能守备的时间愈短；因为疯狂残暴的敌人，决不因我给予部分的打击而消弭其继续侵略的野心。所以在过去和目前抗战的过程中，一个地点得而复失，失而复得，得而又失地可说“数见不鲜”，在这样的情况底下，虽然比较容许我们从容地处理一切应做的地方工作，可是必然本据“快刀斩乱麻”的精神，以“迅速有效”为原则，切忌开展半个工作。

至于说，起先就决定放弃的地点，则以可能停留的时间为准据，通常捕捉残敌汉奸，对民众作恳挚而沉痛的发动宣传，略示工作路线与方法足矣。

三二　怎样处理俘虏的敌人和汉奸

在前第一八课“对敌人的政治工作”一文中，已述及对俘虏应取的态度；但一般人对这个问题，以及对汉奸的处理，还是不能有一个明确的认识，因此，此地重新提出与处理汉奸一并讨论。

最使人模糊的就是，究竟游击队在大小袭击中俘虏了敌人，是在阵地（就地）上把他放回去，还是带回来加以政治宣传以后再放？或不放？

特别常从报纸上看见刊载的某部分俘虏的敌人的照片，以及我武装战士押解着成群结队的俘虏从市中心地区经过，格外显得抗战获得了真实的胜利与群众抗敌情绪的高腾，似乎俘获很多敌人成串的带着回来是对的。

不过我们应该首先估量一下环境。

游击队通常在敌人的后方摸索，特别当袭击胜利后，立即向根据地或其他地方撤退时，如果把一大串俘虏挟着走，不仅妨害了游击队撤退的速度，而且使敌人对游击队的行动与惯性有一个彻底探识的机会，致影响以后战斗的不利。

并且游击队粮食非常缺乏，养活俘虏是困难的，既带回来不养活他反更不好。

所以，除例外的捕获敌通讯员兵或其他留待审讯敌情外，在战场上俘获的俘虏，一概予以有效的宣传感化与优待，当场释放；使敌兵嗣后不致顽不缴枪，对我亟度仇视；更有进而自动觉醒，打倒军阀全体罢战的可能。

所谓予以有效的宣传，感化与优待的动作，是把许多失却战斗力的俘虏，集合在一个房子或一块广场上，由一部分警卫人员荷枪实弹制止其可能发生的暴动行为；另由政工人员予以安慰。绝对不作下列的举动：

一、鞭笞；

二、咒骂；

三、杀害；

四、缴私人财物。

前三项足引起敌很深的仇视；第四项虽不若前三项给敌人反感之深，但这也相当惹起敌情绪不安。

不过，此地应该特别注明：一般人以为对待俘虏好，要“不翻俘虏的腰包”。这话虽和“不缴私人财物”似乎相像，可是“不缴私人财物”，决不是“不翻俘虏的腰包”；因为在俘虏的腰包里也许有公文，命令，计划之类的文件，也许有会计给养人员所管的公款，这些我们都得留下来，因为不仅对我们有利，而且也就是打击敌人减弱敌人力量的副办法。

在翻腰包之前，要先声明：私人的财物一概不动，归各人保留，公物公款请全部交出，对携带人决无妨害。同时在翻的时候，动作要文雅，态度要和蔼，私人的物件要客气的退还。

然后政工人员予以恳切的讲演与可能的款待，如开水，稀饭或饼子之类。

游击队既经做完一切工作——胜利品的搬运，民运工作的处理，和部队一部分撤退等，最后可释放俘虏。

释放的时候由警卫部队与政工人员护送至警戒线外，挥手相别，一方面监他们远走，一方面挥手举帽表示遥相依依的情绪；俘虏在这样的情绪中归去，纵使铁石人，也该有相当的感动。

至于对付汉奸，大家总认为只有一“杀”了之，其实这是一种误解。对罪恶昭彰的奸魁，当然应该处以极刑；但，特别在陷落很久的地区，中小汉奸与准汉奸之流，有时简直不胜列举，如果一一加以逮捕，事实上决不可能；而且，这也决不是安抚与争取陷落地区民众的办法。相反只有资敌以反宣传的口实，摈弃一部分群众的力量。

所以，游击队当克复了某一个地区以后，对汉奸分子应该采取下列办法：

一、大汉奸杀。

凡躲在敌人的翅膀底下，仰仗敌人的力量，任意欺压群众，罪恶昭彰者，都称为大汉奸，为群众利益，为惩戒效尤，应该通过人民的公意杀掉他。

二、小汉奸化。

跟在大汉奸尾巴后面当走狗的一批东西，虽然该杀，但可以用政治力量与群众组织去感化克服他。

三、准汉奸谅。

等于蝙蝠，站在汉奸与良民的中间，行为近似汉奸，但有时又显然不是汉奸，对他们可以原谅。可是，所谓原谅，决不是不置可否的态度；就说：不谈既往，而指示以后应走的正确路线与方法，使融和在抗日阵线中，复坚强其意志，当做一般民众看待。

三三　怎样处理夺获的辎重和械弹

辎重与械弹等是游击队生命与战斗的营养。当游击队袭击胜利后，截获的无数粮食，军需品和枪炮弹药等，一方面减削了敌人的力量，并且顿时使自己壮大肥胖起来了，应该是件最值得开心的事。

不过，这些沉重杂乱，而多量的物品，尤其人员不多或急于撤走的游击队，将无法检点与运输。所以，这里决不是大笑一场就了事的，必须加以思考，该如何适当的去处理。

处理截获的一切辎重与械弹，通常有两个基本的方法：

一、运回去；

二、毁灭它。

游击队经常在穷僻的地方，兼之受敌人的围困，一切军需械弹都乏来源，所以，对截获的敌人之辎重械弹，总得以运回去充实自己生命与战斗的营养为主。可是当碰见下列各项情况，如：

1. 游击队根据地过远，对敌人所遗之多量军需物品，无法全部转载；

2. 游击队急于撤退，或敌人立即反攻，时间已不及载运；

3. 品质过重运行不便，或不适游击队使用；

4. 关于武器，敌临退时，已将其局部重要零件携去，无法使用。

那么游击队不得不采取第二项毁灭它的办法。因为自己既然不能运载去作用，留下来仍然归还了敌人，倒不如毁灭一空。

最后我们要分别谈谈转运与毁灭的要领。

在转运方面说，通常离开自己根据地的地点不远，而且转运上认为便利，那当然采取转运办法。

转运最好先动员当地民众，由一部分武装队员押运，计算路途的远近与运输上的便利和可靠，中途再动员其他民众接运。

为防帮运的民众透漏消息，达到秘密转运的目的，有时向相反的方向绕路，中途几次掉换运输人员，最后几段由受训较深而忠实之民众担任，特别进入储藏地点之一段，最好让自己的部队接运。

转运有时也不完全为游击队独占。当敌人遗弃过多粮食时，可由帮同游击队作战之群众携去；不过那应该由政工人员有组织有秩序的分配，不然形成打抢，是顶不好的现象。

再：转运的工作应该迅速而有顺序，在部队撤退之前至少一小时登程；不然，将妨害部队之撤退。

转运队在途中应静肃而秘密，多走小路，多利用夜晚。

第二，关于毁灭的要领。毁灭的主要方式有四个：

1. 火焚；

2. 破坏其重要机能；

3. 撒毒；

4. 埋没。

凡属可燃性的物品，如粮草、被服、木装具、弹药、汽油等，都可以火焚；关于汽车、火车、坦克车、大炮，或其他重要器械，都可以捣坏其重要机能，使成完全废物；一切食品与饮料可以撒毒；若重要器械等，捣毁尤恐敌人修理，或利余骸，则埋之土中，或沉之水底都可。

总之，只要决心毁灭的东西，尽可不择手段，断然遂行；但以不妨害部队运动为原则。譬如，部队犹未撤走，就烧得红光满天，这对部队十分不利。通常毁灭是在部队撤走的前一刹那，不宜过早。有时情况变化，游击队无须急急撤退，则一切物资，尚可供给使用。

三四　追击的要领

给予敌人一个大的袭击，当敌人阵线全部动摇或崩溃，这时，最紧要的一着，就是立即派队跟踪追击。

因为追击是扩大战果的最积极的表现；同时，也是决胜利之大小的最后行动。

一般人常忽略了这一点，以为冲破敌人的阵线，此一袭击任务，即已圆满告成；殊不知仅冲破敌人的阵线，此一袭击的胜利，并没有能安全把握住。这时敌人虽让出原守的阵地或驻所，可是后面没有继续的力量来压迫和威胁，很可以从容地把部队集合拢，施以猛烈的反攻。纵使游击队派有警戒部队拒止，但正规而有部署的敌军，特别在游击队分散混乱的时候，鲜有不遭失败的。

所以，游击队获得袭击的胜利以后，首先就得部署追击的事宜，其他的一切，可以留在末后来处理。

担任追击的部队必须特别机动，一发现敌阵线混乱，立时努力跟追；因为如果等待最高指挥人员的命令，是来不及的。

游击队不可全部追击，至少要留掩护的部队三分之一乃至三分之二，一方面掩护处理各事项人员的安全，因防止敌一部分从间道窜回；另一方面与追击部队相策应，万一追击部队中敌人诡计，或遭敌有力预备队的反攻，掩护部队可以援救与掩护。

担任追击的部队与每个队员，都必须果敢直追，紧接在敌人的脚跟后面；如可能，则更冲入敌退却的行列中，使敌人秩序更形混乱，由退却而变为逃窜。

追击的人员必须分散，作广面的追击，使敌人深深作“草木皆兵”之感。

追击的人员不必任意射击，但有时向逃窜较远的敌兵，亦得加以射击，而使全线慌张。

追击必须着重“迂回”。视当时地形与情况，有计划的实施大迂回，或各别施以小迂回，切断一部分敌人的退路，而缴夺其枪支。如果只跟在敌人背后穷追穷喊，不敢超越到敌人先头去，结果顶多一些既经受伤或体力虚弱的敌人遗落下来，更不会获得如何大的胜果。

可是追击也不能穷追。所谓穷追，就是没有止境的追下去。那样追有三重危险：

一、与自己的部队脱离过远，不能呼应，而形成处处孤独与单薄；

二、常惹起敌被迫反攻，或其他部队的增援；

三、成线状深入，易遭受侧方敌人的袭击，而致不堪收拾。

所以通常追击部队将敌人追击至附近险要地势（如河川，山峰，隘路等）以外，认为敌人不易进行反攻，即可“适可而止”。

不过，有时熟审地形与敌情许可时，亦得向较远方向追击；但追击与掩护部队之间必须互相有联系。

至于究竟可能追出若干途程，则颇难置答。通常小游击队（数百人）之追击途程，按经验与事理，不得超过二十华里；但至少亦必须在三五里以外。因为这样，才能给予处理一切事务的人员以比较充裕而安全的时间。

三五　游击队胜利后的撤退

一般人把军事的撤退看做败退，以为撤退与败退没有区别，撤退，就是败退。这是错误的！

固然撤退也有被迫撤退与自动撤退两种，凡自动为了战略与战术，或其他关系而撤退，和败退是有绝对区别的，这不仅在游击队如此，一般军事上都是如此的。

游击队力量单薄，而为不断消耗与打击敌人的力量，与掩护民运及其他工作，突破敌盘据之地点后，不能实行固守，通常继胜利之后而行有计划从容的撤退。这不仅不是游击队失败或示弱的表征，相反是最合原则的老练的战法。

我们先从撤退的时机说起。

撤退必须在一切处理完毕以后实行。譬如，胜利品的处理，俘虏的宣传，民运工作以及追击部队的撤回等。倘使撤退过早，必致一切仓皇混乱，处事草率或失却联系；但过迟则有遭受敌反攻与追击的危害。因此，撤退时机，一方面看处理各项事务的缓急决定；同时，另一方面要给各项事务处理的缓急以适当的限制。

当情况严重，四围敌兵力雄厚，或我处的地势不利，则撤退的时间应该提早；反之不妨更从容地实行。也就是说，情况与地形不许可久待时，对各项事务的处理应该加速；特别追击或搜索部队不能远离。

其次说到撤退的顺序。

撤退必须有顺序，各部分均按整个计划的分配撤退。为使各部分在撤退中层层获得安全的保障，通常按下列的顺序：

一、伤病队员；

二、转运胜利品之人员；

三、本队；

四、附近警戒人员；

五、本队掩护部队；

六、派出准备切断敌人可能来援方向之支队。

第三说到撤退中的联络。

有计划有顺序的撤退，部队行军的秩序当然很好；因此，联络上，并不发生重大的困难。但部队广阔的散开，与时间上先后的参错，常使部队力量分散而形成单薄；万一敌人从他方面包抄过来，那就异常危险了。要弥补这个危机，只有着重联络，使前后不断叫应，纵使遭遇敌人袭击，也可能相互牵制，相互顾全。

联络的方法很多，主要的可以列举下点：

一、前后左右相互派遣联络员在中间地区行进；

二、由当地民众传递消息；

三、利用各种显著而秘密的暗号通讯。如日间用烟，夜间用火，射信号手枪，路口树旁做暗号都可。

当接获一方面或先头与后尾被敌人侧击，或追击通知时，则其他方面，应设法援救。

失败后的应付

三六　退却时机和部署

游击队和一般正规军队的作战不同，当它不能敌过当前的敌人，就用不着硬拼死守，随时可以“逃之夭夭”化整为零。但第一课已经说过，游击战术基于它本质地位的重要，不能轻易地一打就跑，形成逃避主义者。究竟到什么程度脱离战场才恰当呢？这就是所谓“退却时机”。

游击队和敌人斗争，到了不需要撑持，不能再撑持，或行将被歼灭的时候，还不执行退却，这是违背游击战术原则的最大错误。

同样的，游击队可能撑持，情况上必须撑持，或必须继续撑持若干时间，可是，竟昧然或提前实行退却，这也是违背战术原则的最大错误。

所以，游击队在必要的时候，应该实行退却，必须实行退却。可是，退却时机要正确，要合乎游击战术原则的要求。

但，所谓退却时机，也决不是和普通一张课程表似的把它刻板地规定着的；它必须根据原则，从当时的情况地形与时间上分别加以考虑，而后综合起来衡其轻重以决定的。换句话说，就是要从当时客观情况的演变中透视到战术的原则，以决定应否退却及退却时机。

照原则上说，游击队和敌人斗争，当到达或处于下列情况中，是应该即刻执行退却的：

一、向敌人袭击过早惹起敌军的全面应战，众寡悬殊，不能力敌时；

二、向敌人袭击，敌方已早有充分准备不克取胜时；

三、向敌人袭击，因封锁不密，招致外方敌大部来援时；

四、向敌大部队袭击，已获得部分胜利而不能继续撑持时；

五、我牵制敌军，已达成任务时；

六、在转战中，我处于不利的地势时。

不过，退却在时间上也很有关系，一般退却多利用夜晚，因为夜晚能借黑暗的掩护，比较安全地脱离战场。这不仅在游击队应该如此，就是军队的退却，一样利用夜间有利。

所以，当游击队虽处于上述各项应退却的情况中，顶好设法迁延至夜间，或乘天未明以前执行。但有时时间上不许可延迟，亦得借地形掩护，或断然执行，决不能勉强迁延，而蒙更大的损害。

其次谈到退却的部署。就是说，当决心退却或准备退却，将如何布置，使退却合理。这在兵家是一件重要的事。

“打胜仗容易，打败仗难。”

“能打败仗的部队，才能打仗，才能打胜仗。”一般研究战术的人都这样说。因为按战斗的部署，节节胜利，士气旺盛，一切都有顺序，部队之指挥与掌握容易；然而被迫而败退，人心仓皇，部队凌乱，鲜能安静如恒，从容退回。所以“打胜仗容易，打败仗难”；“能打败仗的部队，才能打仗，才能打胜仗”。

不过，退却而合理不乱，一方面固然要部队训练有素，临时沉着；但最主要的却在指挥员的部署。俗语说：“兵随将转。”只要指挥员的部署合理而适切，循循善诱，步步指导，必然可以使部队获得良好的退却的结果。

指挥员不仅在临时来部署退却，部队未出发以前，就得有充分的退却打算。在前面第二〇课“游击战袭击敌人应有的准备”一文中已经说过，游击队在没有出发之先，除其他一切准备外，关于袭击万一失败应该有所估计：那时那一个部队当掩护队？那几部分先退？向什么方向退？退的时候看什么信号？退到那儿去集合？

可是，那只是一个预定的计划，到临时指挥员认为退却的时机真来到了，那么立即就要准据当时的敌情，地形，时间，正式决定退却的时候，路线，顺序；并且要看退却的途程，规定各部队相互掩护；即使细小的部分，也要规定明确，譬如某一个方向的桥梁归某部分破坏等等。

然后通令各部队，使预作准备（将临时按情况变更事项传达下去），如缴获胜利品的运输，与受伤员兵的运送。务必使退却暗号发出后一切都沉着而有顺序。

这在一个有办法，顾虑周到的指挥员手里，很可能做到，部队虽然失败，但决不致于增加许多不应有的意外的损失；特别一个游击队，因为力量小，十仗就是九仗准备退却，如果不看准退却时机，作很周密恰当的退却部署，那么还能维系着英勇不屈的游击生活么？

三七　退却中应有的注意事项

游击队决心退却而实行退却时，除遵从指挥员退却的部署，在一定的顺序和步骤下进行外，求退却更顺利和安全，则部队与每个人员，都必须注意及下列各事项：

一、退却必须讲求技巧。

一般人以为退却就拼命向后跑，还有什么技巧不技巧呢？这是笨拙的退却论；光靠两只腿子，从敌人的眼面前溜走，如果敌人利用机械化的兵队追击，必然蒙被重大的损害。在技巧方面：

1. 巧弄玄虚，布置假方向，使敌人误追。在这一项计划底下，可以运用下列诸手段：

A. 挑选两三个机敏的队员，从假方向前进，不断射击诱惑敌人；特别在夜晚引诱的力量最大，因为那时敌人根本就看不见其他方面我退却的部队员兵。

B. 在三叉路十字路口上，设置假路标，使敌人误认我退却方向的联络记号。

C. 在假方向设置游击队的遗落物品，如旗帜，皮带，坏刀鞘等具有游击队典型的东西。

D. 在假方向沿途贴标语。

E. 若民情忠实，则动员假方向的沿途住户行人，一致作相同的反宣传。如：

“游击队是从这儿走的，走过去不远。”

不然派队员化装农民，老太婆等担任此项工作。

F. 如果在白昼，更可以杀猪狗之类，沿途滴血，使路面血渍斑斑，可为退却方面最有力之证明。

G. 其他手段。

2. 化整为零，分散部队使敌人无法兼追。在这一计划底下，也有几种方式：

A. 以组为单位，采“光线法”向广面分散。

B. 放弃道路，各取直线，超越田野山林前进。

C. 决不作三人以上之鱼贯式重叠前进。

二、退却中必须不失联系。

在退却中最容易惹起的现象：即各人顾自己逃命，这换一个说法，简直就是败灭的现象。游击队员最须记牢：无论到达任何危险的程度，都应该顾全他人顾全团体。

1. 有同伴被俘，如可能，必须尽力设法营救。如赶至切近，对准敌人射击，刀刺或角力均可。

2. 同伴负伤应设法载其归去；万不可能，亦必设法将其驮至附近掩蔽物内或后方。

3. 同伴阵亡，先将其械弹及重要物件取下，以备带回，然后将尸体放置掩蔽物下。

三、退却中必须节节派队掩护，尤须注意掩护队战斗力之调节。

退却部队不仅在后尾于脱离战场时派掩护队，侧方前方为退却安全与顺利，都须派遣掩护队；而且指挥员须时刻顾全掩护队之战斗力是否疲劳与减弱，适宜派队更换，使原掩护队归还本队后尾退却。

四、退却中必须随时找寻逆袭之机会，而对敌施行逆袭。

敌人在追击中，特别我退却部队广面分散时，敌人多半形成散漫薄弱的现象。我游击队如发觉良好逆袭机会，立即施放信号，执行全线或局部逆袭，常能转败为胜，反退为追。

其他当然还有许多值得注意的事，总之，最紧要的：失败而退却，本是一件吃亏倒霉的事，我们必须抓住而善于利用当时的时间和空间，转变不利情势；纵使不能转败为胜，但至少也可以消弭失败之崩溃不堪的危机。

三八　退却时掩护部队的工作

掩护部队始终肩负了重大的责任，它不仅在退却时产生，其他冲锋，追击，每个场合上都需要它作直接有力的旁助；不过，在退却时，却特别显现了它更大的重要性。退却部队能否安全脱离战场，固然要靠退却部队本身的退却技巧来决定；但，掩护部队有否尽力，实为先决问题。

一般人以为退却的掩护部队只要等待最末后再走，

就算尽责了；其实，这是最肤浅的了解。如果担任掩护部队的人员只这样了解，这样去掩护，敢说，决不能尽掩护的责任！

掩护其他部队退却，当然要在最末后走；可是，不能说，等在最末后走就算掩护。

掩护的部队必须敏活机动，不因其他部队已经离去，而感到孤独仓皇；在这时，特别要有“牺牲小我，成全大我”的决心。掩护最高的原则是：

不使敌人迫近而威胁我退却部队的后尾。

因此，它必须极力撑持敌人的压迫，和退却部队保持适当的距离。这距离太近了就违反了上面的原则；可是太远，难保敌人不从另一方面，向退却部队的后尾迂回，那么，又形成掩护不确实了。

有时，在开始退却之前，掩护部队向敌人攻击，使敌人忙于应战，而给予退却部队以远离战场之机会；然后掩护部队再轻巧跳出战场。不过，这必须看当时情况，如果敌方本来非常安静，以少数部队去挑战，反惹起敌人乘机追击。

还有许多掩护部队缺乏经验，当部队开始退却时，突然猛烈向敌方射击，因而给予敌方以判断的征候，像这样的行动简直愚笨而误事。

一个老练的掩护部队，它常能安静地留在掩护阵地上，极力保持平常的战斗态度。敌人如果不来追击，在时间上计算，退却部队约摸退去了几多里程，相当于应取的距离时，(至少在五里路以上，时间上约半小时以上。)则悄悄地退出。

可是，多半游击队在退却中，必遭遇敌猛烈的追击，这时掩护部队非常吃力。但，无论如何，还是要沉着掩护，宁可局部蒙被重大损伤，也必须争取可能获得的延长时间，让大部队比较远离。

掩护部队本身亦已离开战场，敌人从后方拼命追赶，这时掩护部队不得一气逃窜，必须步步找取支撑点叠次相互掩护。有时因退却部队行动受其他障碍而迟缓，掩护部队边打边退，已接近退却部队后尾，而使退却部队后尾感受直接的威胁。则为使退却部队安全，掩护部队必须全部占领阵地，拒止敌人前进；甚且乘敌追击部队散漫薄弱的时候，勇猛给予逆袭。

以上是战场及退却途中的后尾掩护部队的工作。其他如防止敌向侧方迂回的侧方掩护队，防止敌人向先头超越的前方掩护队，原则上都大略相同。

总之，在退却时，游击队的生命，整个负托在各掩护部队手里，担任掩护的部队与人员，必须首先认清自己的职责，而后要本据职责，尽环境许可，努力机动的寻求各种方法与手段去达成。

三九　退却后的集合

曾看见许多军队打了败仗以后，经月不能把部队集结起来；因此，在比较大一点的城市乡镇中，成立许多“散兵收容所”，满街满巷贴条子：

“× 师 × 旅 × 团在某处集合”

“× 部收容所在某处”

“× 部驻扎某处”等等。

然而一个游击队却不同，游击队失败退却以后，只要几小时，部队又铁一般的集结在一起，而且又在计划着第二次袭击的事项了。

并且游击队的环境，也决不允许像普通军队那样的作风。试问：在墙壁上贴一个条子，说游击队在某处集合，或收容所在某处等话头，不是闹笑话么？

一般人对游击队这种“颠扑不破”的战斗力，都归功于“地形熟”一句话。其实，这只看见了一方面。

地形熟固然是一个因素，可是，仅靠大家伙儿地形烂熟，决不会打成一片去的，更不会集合得那样快。

又有人说，游击队出发袭击敌人以前，就得预作失败的打算，先宣布万一失败以后的集合地点，因此游击队在战斗失败以后，很快的又重新集合拢了，其主要原因，完全因为事先有整个的规划，一直计划到此一袭击以后的败退集合地点，使大家有中心准据。这也是一种固执的偏见，没有彻底解答这个问题。

游击队在败退以后，所以能集合拢来，而且很快的集合拢来，固然有它最主要的原因，但同时也有许多能帮助着起决定作用的附属原因，从多方面共同确定与推动。因此，在这里我们必须一一列举出来，而且附带说明集合中应有的注意事项，庶几能把握问题的全貌，给实践者一个完整的依据。

一、前面第二〇课里也说过游击队出击之前，对袭击万一失败的一层该有打算，预先策划败退后的集合地点与两个以上的预备集合地点，临出发时，向全体队员宣布，并清楚描画该地点地理上之关系位置，使每个队员临时不致迷失。同时即使集合地点临时被敌人切断或占领，犹可继续向第二或第三……预备集合地点集合，这样游击队的集合基础带有绝对的韧性，始终不致为敌人击破而瓦解。

二、坚持每个游击队员都熟悉战地地形，特别在一个离根据地远而生疏的地方作战，是不可能的，因此，游击队熟悉地形固然很好，但主要的要先判别方位，从方位上找集合的场所。

三、从战地走向集合地点的干路上，要先配置警戒，防止敌人迂回切断。

四、每个队员为轻巧脱离战场，并急速走向集合地，而避免敌人向集合地跟踪追击，至威胁游击队之集合，故队员退却必仍取广面分散法，有时并向他方面迂回。

五、每个队员在退却途中，不可作不须有之停滞与休息，致碍整个部队集合之速度。

六、每个队员走向集合地或预备集合地，必须在集合地周围先行各别隐匿，不可过早零散暴露目标，而妨害尔后整个部队之集合。

七、当部队大部分队员到达后，即集合作第二步计划之讨论与进行；尚未到达的队员，应派一干员守候，不可因少数人迟到，妨碍整个部队之行动时机。

游击队的侦察警戒与破坏

四〇　游击队侦察的目标

我们要讨论游击队侦察的目标何在，首先就得了解游击队——抗日游击队侦察出发的根据。

在一般军事上说，侦察是军事的耳目，它随时将所见所闻提供给军事作判断与决定之资料。因此，一般军事上侦察出发的根据是：侦察敌军事上一切现状与尔后敌军事的行动计划。它主要的是着重于军事，及直接与军事有关的诸事项之侦察。

然而游击队，全面抗战面前的游击队，为着它不仅是一纯军事集体，用武装去消灭或减弱敌人的武装；除此以外，它并且要树立游击区，以及游击区的抗日政府，以执行并保障一切适合环境的政治经济的社会设施。换一句话说，就是树立游击区的抗日政权，以发扬当地民众的民族意识，保障人民自由的权利，与协助人民的生计。

因此，游击队侦察出发的根据，一方面要着重军事有关诸资料的调查；同时，尤要着重敌强占地区中一切社会的政治经济的“强权设施”与政策。

从这里，我们可能得出一个结论：游击队侦察的目标和一般军队侦察的目标不同，仅拿一般军事侦察的眼光，运用到游击队里来绝对不够。

在总的方面分，游击队侦察的目标有四个：

一、军事；

二、社会；

三、经济；

四、政治。

好像军事侦察占最重要的地位，这固然是对的，我们对敌人的军事方面，不能“洞察秋毫”似的明悉，常使一切束手。可是我们必须进一步了解社会，经济，政治的一切现状与演变，息息都和军事相关，要明悉军事的一切，除直接向军事着眼外，更应从社会，经济，政治一切现实的反映中求得。而且敌强施的一切社会，经济，政治的建设与政策，或蹂躏与虐待的情况，都与游击区的抗日政权的树立与发展有密切关系。因此，我们在侦察上，更不得不并重。

在军事方面，我们要侦察的部门：

1. 现阶段敌国作战的大方针；

2. 战略的变更与配置；

3. 各战场或某一方面敌军总和的战斗力；

A. 兵团数目，及每一部分实有的人员总数；

B. 兵团与人员的素质；

C. 军事训练的程度；

D. 政治意识的倾向；

E. 武器弹药的数量，质料，及最大效能；

F. 给养的储藏与来源；

G. 员兵战斗的攻击精神；

H. 指挥官的能力与决心；

I. 其他。

4. 军需工业的现状与将来；

5. 作战计划；

6. 某一地段中，敌战术的行动；

7. 某一地段中敌战术的设施；

8. 敌战斗的惯性等。

在社会方面，我们要侦察的部门：

1. 敌强占一地区后，对社会努力的方向与途径；

2. 对我民众反宣传的方式与内容；

3. 敌人在地方残暴奸淫的情形；

4. 我人民对敌人的观感；

5. 我人民受麻醉的程度；

6. 汉奸的滋长与活跃的情形；

7. 人民反日运动的发展；

8. 人民反日实际工作的现状；

9. 民众游击队产生的背景及生活，训练与战斗的实况。

在经济方面，我们要侦察的部门：

1. 敌奸经济提携的内容与现实；

2. 捣乱我金融的阴谋；

3. 滥发纸币与伪币的现状；

4. 剥削地方与农村经济的事实；

5. 陷落后地方经济的影响；

6. 敌军在地方征发给养与筹款的情形。

在政治方面，我们要侦察的部门：

1. 行政上的维持；

2. 傀儡戏的扮演；

3. 丑角内讧；

4. 其他一切设施与进行事项。

四一　游击队侦察的要领

游击队怎样去实行侦察呢？这像一个技术的问题，只要凭借侦察的技艺与性能，灵活机巧地走向敌人内部，不难把一切窥探得清清楚楚。

其实，这只看到了最微末的一点。游击队实行侦察固然不能不运用技术，巧妙地获得所要的情报；可是，光靠着呆板的一部分人的技巧，非独不能使游击队的侦察工作完满达成，相反会把它窒息。

我们敢说，完满的游击队的侦察工作，是政治的！它主要在运用政治力量去发动群众，影响群众（不仅不愿做亡国奴的忠实同胞，举凡一切汉奸，卖国贼，“托匪”等都包括在内），使群众成为侦察的前哨，成为侦察的原子，成为侦察的骨干。

唯有运用群众侦察的力量，织成广泛的严密的侦察网，才能满足游击队的需要，才能一丝不漏的把敌人描画清楚。

而且，在运用散布在各地的广大群众帮同侦察，还有一个好处：那就是传递迅速。我们知道，传递迅速在侦察上占有很重要的一个位置的，因为侦察获得之材料的价值，就在传递上不失时机。

现在我们开始研究：怎样使群众广泛的起来为游击队担任侦察的工作？

爽直的说，要成功这一步，必须从整个民运工作着手。前面第十七课“对民众的政治工作”一文中，关于怎样进行宣传，组织，训练，和领导诸项，已详细叙说；发动民众担任侦察工作，也包括在那里。只要我们循循善诱，抓紧而运用侦察的诸法则，一切都可以迎刃而解。

所谓侦察诸法则，作者在《大众间谍知识》及《游击队的侦察与警戒》两书中，都曾详细论及。最主要的有三个，即古兵家孙子所说的："因间"，"内间"，"反间"；其次还有"生间"与"死间"。这些都是我们发动民众组织侦察网绝好的准据。

其次，关于侦察的技术，虽然那不是游击队侦察的最主要的一环，但，关系各个侦察人员工作的成败，却非常重大。

当然此地没有办法可以具体而详细地叙述，在某种时期，某种环境，对某种对象应采用如何的技术，去进行而完成侦察。不过，至少可以指出技术中某些必要的条件和要诀。

一个担任侦察的人员，他最值得注意而必须具备的技能，就是化装。

所谓化装，一般人都以为脸上擦一些黑灰，腿子上贴两张膏药，身上穿一套脏烂衣服，表示一个乞丐；或者戴一顶雨笠，拿一柄锄头，涂一腿子烂泥，装一个农夫等等。不错这是化装。然而，仅把化装这样了解，侦察人员只做到这样的化装，事实上决不够用。

化装是广义的，除开外形物质上的化装外，尤其要有内在精神上的化装相符。不然，无论乞丐装得怎样像，农夫扮得如何神气，这一个化装是失败的。为着化装的失败，整个侦察也继之失败；说严格一点，侦察工作就没法下手。

所以，使化装成功，同时也就是使侦察成功，必须注意下列几点：

1. 要善于模仿——无论外形的物质化装，和内在的精神化装，都要模仿到最深刻的程度，才不会露马脚。

2. 要绝端秘密——这不仅口头上不说什么话，而且要在行动与态度上表示得很平常，没有特异的行状。

3. 要非常沉着——沉着才不惊慌，对守秘密的帮助极大；要沉着首先就要有自信心与勇气。

4. 要特别机警——机警的人多半不会上暗当，在事情没有成功以前，遭危险，牺牲是最可惜的事。

5. 要相当灵活——只有灵活，才能和敌人周旋，才能深入敌人的内部探听消息。

6. 要具备慧颖——能很快了解敌人的意图，了解事实的真面目；更可以抓住细微的一点做引线而追索到事实的源泉。

最后我们还得指出，侦察有四个主要的步骤，也可以说是一贯的侦察手段：

1. 迅速而准确的取得情报的资料；

2. 精密而冷静的判断情报的真伪；

3. 快当而及时的传递情报的消息；

4. 彻底而巧妙的消灭情报的痕迹。

四二　游击队的驻军警戒

游击队要保障在驻扎中获得绝对的或比较的安全休息，则严密警戒是顶顶要紧的一着；这在前面第三十课中已经概略说过。

现在我们要开始研究：怎样实行驻军的警戒？以及使警戒严密的要领。

从一般军事上去了解的话，那么所谓游击队的驻军警戒，是最简单而易为的一件事，只要在游击队的驻地里里外外派上许多步哨卫兵，步哨则两眼不断监视敌方，卫兵则严密注意行人，就得了。

可是，事实上这样够不够呢？无疑义的，只是一种狭隘的观念论，没有看客观的事实，光从主观上确定，觉得派了步哨卫兵就可以“高枕无忧”地安眠了，这是多么愚蠢而危险！

步哨与卫兵只要恪尽职守，的确能起积极的警戒作用；然而，无论如何，仅仅乎派遣了步哨卫兵，是没有做完警戒应有的事项的。

现在，我们为求其简明，不妨学开豆腐账的办法，把它一一列举出来。

一、为着警戒要守秘密。因为警戒的消极目的，在发觉敌人而和敌人斗争，或使本队先期逃避。它积极的目的还是使敌人不能发觉本队，与本队派遣的任何部门，而获得安全的休息。所以：

1. 部队进入驻扎地最好在黄昏以后；

2. 部队在驻扎地要守秩序，保持静肃，人员不得满街满巷乱穿，夜晚尤其不能打电筒，吸烟；

3. 对村中犬类，要锁嘴，防止乱吠；

4. 游击队进入村落后请民众不再他出。

二、为着警戒要发动民众。前面屡次说到，光杆子的游击队，决不能在敌人的高压下发育壮大起来，特别驻在某一个地方，如果得不到民众帮同担任警戒，则警戒力太小；相反的，游击队一到某个地点，能很迅速地把民众发动起来，帮同游击队警戒，则警戒面广阔而充实，警戒力非常强大。不过，此地应该指明的，决不是把村庄里男男女女的老百姓，都赶到村庄的四周围替代游击队放步哨；而是利用当地，特别离开驻地相当距离的民众多数的耳目，探听汉奸和敌人的行踪，向游击队及时报信。

三、为着警戒要集中兵力。所谓集中兵力，不是把兵力整个集结在一起，不向必要的方面派遣；而是集中一部分主兵作警戒的后盾。

四、为着警戒要时刻准备战斗。这特别在一般唯步哨警戒论的人会忽略了这问题；他们以为警戒只是由几个步哨卫兵可以负完全责任，忽略了整个部队的警戒性。游击队必须纠正这种习气。

1. 不到必要的时侯，不卸除携带的武器物品等；

2. 夜晚不脱衣服，物品枪弹放在手边或枕下；

3. 不任意脱离队伍，单独行动；

4. 每到一地点，即刻看好地势，找清进路退路；

5. 在驻地虽准备停留三点钟以上的短时间，也必定选定防御线；若过夜，最好路口上堆积适宜的障碍，墙壁上开设枪眼。

游击队的驻军警戒大概是这样，如果把以上各项逐层做到，可以说是相当严密的了。总之，游击队必须明了自己的几个特点：

一、兵力单薄；

二、环境恶劣。

因为这样，和正规军不同，所以，处处都得留意，愈小心愈周密则愈安全。即正规军队采用以上办法警戒，也很必要。

四三　游击队的行军警戒

游击队在行军中警戒，比驻军时的警戒愈加困难，因为，驻军中可以从容布置，而且能充分的利用优越的地势条件为保障。可是，行军是不断游动，地形环境与敌情景况，也时刻不断的变化着，应付一个静的环境比较容易，然而应付一个一刻千变的动荡的局面，却困难到几万倍。因此，游击队在行军警戒中，不仅要谨慎小心，而且要深得要领。

通过各种不同的地形，其警戒方法是迥然相异的。不过，在各种不同地形的警戒方法中，却有一个统一的原则：秘密而慎微。

就是说，一方面秘密自己的行动，即使经过敌人的近旁，也不会让敌人发现；另一方面则小心而广泛的搜索，即使很细微的征候，也必须详加审慎，以取适切的行动对应。

现在我们把游击队开始出发，一直到沿途各种地形的警戒要领，分析说明。

游击队，即使一般兵力强大的军队，如果光靠警戒部队作行军的掩护，无论如何是失败的；至少也相当阻碍或打击了行军及其他任务的计划。所以游击队或军队出发之前，一直到出发中，始终要有对外秘密的精神。譬如，出动的以前不慌乱，不打听路途；临出发的时间先向假方向前进，再绕回正路；或待黄昏以后，再悄悄出发。这些不是帮助警戒，使警戒方便，事实上这就是警戒，所以，我们必须把警戒的范畴看广阔一点。

一般军队行军，前后左右派前，后，侧卫，尖兵，侦探等，这在游击队也还是一样。不过，游击队为求行军时减小部队目标，增加行军速率，所谓秘密而神速起见，多半把部队相当分散，并列前进，这在行军的某一方面说，是有利于警戒的。然而因为部队间联络不确实，或过分分散，常贻敌“各个击破”之机会，这一层也不得不考虑的。

在平坦地势中，部队应分散较远，有时并应离开道路，但在主要大路近旁，必须派少数警戒部队搜索前进。

在山地或森林中，部队至多分为两个或三个纵队相互警戒；有时并利用有利地势集结前进；在危险方面，派少数警戒部队而已。

部队最好避免通过村落，因为昼间则居民复杂，防有汉奸敌探之类混杂其间窥探；夜间则犬吠不停，资敌最有力的征候。所以非购买物品，征发给养，或进行宣传等工作，得派少数必要的人员前去外，部队必须绕道。（夜间亦应避免不十分必要的工作，总以不惊动村民和狗为佳。）

部队通过山峡，隘路，与桥梁河川等应特别加以注意，不仅注意敌人是否有埋伏，并应注意彼端有无特异情况。所以，这时，通常先派搜索部队通过侦察并无特异，而后向前推进。按部队大小，占领掩护阵地（部队大，应推进较远之处再占领阵地，小部队则相反），总使部队通过后，即使有敌人来袭，亦能展开战斗。

至于警戒部队或人员，则以动作敏活，搜索确实为原则，最好穿着便服，携带短枪，有时则乔装农夫，樵夫，小贩子，和尚等。这当然也要看当前环境，平坦大路上前进，则小贩子，和尚相宜，在田野中以农夫相宜，山地森林则以樵夫相宜。如果和尚在田野里踯躅，小贩子在山头森林里兜圈子，不仅滑稽，而且危险。

警戒部队或人员千万不要随便射击。打从山地，森林，村落，或其他隐蔽地通过，最好带有短刀或刺刀，防范突然的遭遇。

在行军中，一经和敌人碰头了，这时警戒部队立即隐藏并迅速传递报告给指挥员，打和不打，完全要看当时的任务，地形，情况；自己有其他重要的任务，最好绕过敌人或待敌人通过，再继续前进；如果没有固定的任务，或不妨碍任务，可以看情况与地形决定，可以袭击则袭击，不然，放过他也好。不过有时碰见敌人重要的部队，如押解弹药或辎重的队伍，或开往某地增援的队伍，则游击队可不顾一切，毅然相机袭击。

总之，在行军中，大家精神都要紧张，大家都要秘密而备战。有人说，利用行军的时候讨论问题，唱歌，说故事，这不是游击队的生活；游击队没有“旅次行军”。

四四　游击队的破坏工作

破坏在游击队是一个重要的任务。当游击队散布在敌人的左近，后方，随时都得加紧对敌人的破坏。因为从破坏的成功中，才能完成游击的任务，而且也只有破坏，才能起积极的作用。

可是破坏，决不是单纯的把敌人后方或附近的铁路轨道拆断，或烧毁桥梁等等，在种类上，我们可以作如下的区分：

一、物质的破坏。

1. 铁道公路及其他道路的破坏；

2. 电报电话的破坏；

3. 军事工程，堡垒阵地的破坏；

4. 水，电的破坏；

5. 粮秣械弹仓库的破坏；

6. 各种军需工业，或其他工厂的破坏；

7. 营房及驻扎地的破坏。

二、精神的破坏。

1. 军事的：

A. 沮丧部队战斗力；

B. 执行敌部队间的分化；

C. 挑拨敌官兵与上下阶层的情感；

D. 联络敌部队革命分子，或收买敌部队中动摇分子进行内讧倒戈。

2. 社会的：

A. 燃烧民众抗敌情绪；

B. 刺杀敌奸傀儡；

C. 暗杀小汉奸；

D. 埋藏粮食等。

这些在破坏上都同样重要，而且对全般抗战，都有它积极的作用。

现在我们继续研究：怎样进行破坏？以及各种破坏的手段和要领。

我们要进行破坏，首先就得广泛的发动当地的民众，拿民众做破坏的基干人员。当然由游击队员直接施行破坏，也未尝不可；不过，要进行广泛而切实的破坏，就非仰赖多数人同时在各方面执行不可，光杆子游击队的力量有限，不够分配的。并且破坏要等时机，利用绝好的空隙，才能得手应心。假使当地的人，在工作生活中，窥伺着空隙，对某一种目标加以破坏，不断的破坏，这比游击队“突击式”的破坏的效能，将不知强到几多倍数。

其次，我们要民众担任破坏工作，就要利用机会，加以破坏技能的说明，与过去破坏工作的检讨；而且对民众破坏工作要有统制，有中心，这样对破坏一着，才更显得效果伟大。

物质的破坏是一个技术的行为。主要目的：在使敌人处处感受束缚与不安，更至干涸而不能动弹。

铁路，公路，及其他道路的破坏，即所以割断敌前后左右的联络线，而使敌形成苦闷的恐慌的孤立。

破坏铁路，主要在切断铁轨，或可能则炸毁铁桥，烧毁车站，使敌军队军需，军械等不能利用铁道运输。破坏时必合乎下列要领：

1. 离护路部队较远；

2. 离修路工程处较远；

3. 地形险阻地点，如通过沼泽地，山谷，山坡，堤道等处；

4. 破坏铁轨则在铁道转弯的地点；

5. 破坏桥梁则在水深流急的地点；

6. 破坏车站则在有战略上供给作用的地点；

7. 破坏铁路要先期割断电报电话线；

8. 破坏铁路要将枕木焚毁，铁轨弃诸河中；

9. 破坏铁路要分几段进行，每段至少隔十数里；

10. 破坏铁道，倘能破坏路基更佳。

破坏公路及其他路与破坏铁道的要领相似，主要在破坏路基，掘断路面与破坏桥梁。

破坏电报电话，通常剪断电线，砍断电线柱；但有时则从事窃听，以探取重要消息。

关于军事工程的破坏，比较困难。因为那些地方多半有重兵驻守，不过有时也可用“坑道法”设法逐次向最有机能之一点前进，而后利用普通爆炸药料爆破之，或设法焚毁，主要在集中力量对最关重要的一点，不然是不会发生什么效用的。

水电破坏，如果大城市中，当敌人将占领时就得先加以破坏，小地方多半没有电灯，把煤油蜡烛等都可以尽情收藏或破坏，水池水井概行封闭，或填以死猪死马之类，断绝敌人水火。

仓库工厂营房等，只要焚烧，或大量炸药爆炸。总之，凡足以供给敌生活与战斗的一切物资与建设，一概不客气的尽可能的破坏。关乎破坏的工具，爆破燃烧的资料，都可以多多准备。

精神方面的破坏，好像非常抽象，其实功夫到家，非独不抽象，而且发挥出的效能比物质破坏的效果更大。那些要领在拙著《大众间谍知识》（生活书店出版）里说得非常详细，此地篇幅有限，恕不赘。

三联经典文库第二辑简目

《游击战教程》　明凡 / 著

《游击战术纲要》　陶剑青 / 编著

《汪精卫卖国的理论与实践》　钱俊瑞 / 著

《抗战以来》　韬奋 / 著

《陕行纪实》　楚云 / 著

《随军散记》　沙汀 / 著

《被日寇囚系半载记》　王研石 / 著

《倭营历险记》　房沧浪 / 著

《活跃的新西北》　田影 / 编著

《保卫华北的游击战》　刘清扬　陈北鸥等 / 著

《徐州突围》　《徐州突围》编委会 / 编

《沦亡的平津》　长江　小方等 / 著

《淞沪火线上》　胡兰畦等 / 著

《瞻回东战场》　长江　罗平 / 著

《东线的撤退》　胡兰畦等 / 著

《抗战中的西北》　徐盈 / 著

《鲁闽风云》　徐盈等 / 著

《西线生活》　西北战地服务团集体创作

《中国解放区见闻》　［美］福尔曼著 / 朱进译

《全面抗战论》　潘汉年 / 著

《日本的间谍》　范士白自述 / 尊闻译

《日本大陆政策的真面目》　国难资料编辑社 / 编

《民众动员论》　李公朴 / 著

《中国外交史》　钱亦石 / 编著

《太平洋军事地理》　蒋震华 / 著

《世界经济地理讲话》　思慕 / 著

《列强军力论》　［德］马克斯·威纳尔著 / 宾符　仲持　梅益等译

《近代国际关系史》　张铁生 / 著

《太平洋现势手册》　沈志远　石啸冲 / 编著

《近代世界政治史》　钱亦石 / 著

《从战争到和平——一九四五年的世界政治》　乔木 / 著

《战后日本问题》　思慕 / 著

《最近一年间的国际动态（1946.7–1947.6）》　《东北日报》社 / 编

《论政党》　翟放 / 著

《法与宪法》　韩幽桐 / 编著

《中华民国宪法刍议》　罗家衡 / 著

《民主·宪法·人权——作之民》　费孝通 / 著

《宪法论初步》　潘念之 / 著

《对反民主的抗争》　韬奋 / 著

《农村改进的理论与实际》　江恒源 / 著

《上海产业与上海职工》（上下）　朱邦兴　胡林阁　徐声 / 合编

《陶行知教育论文选辑》　陶行知著 / 方与严编

《中国通货膨胀论》　杨培新 / 著

《中国及其未完成的革命》　H·普拉特著 / 蒋天佐译

《中国的建设问题与人的训练》　卢作孚 / 著

《论中国特殊性及其他》　艾思奇 / 著

《中国经济问题讲话》　钱俊瑞　徐雪寒　王渔邨　姜君辰　骆耕漠 / 合著

《中国经济的道路》　许涤新 / 著

《中国财政之病态及其批判》　孙怀仁 / 著

《官僚资本论》　许涤新 / 著

《五四运动之史的评价》　陈端志 / 著

《中国通史简编》（上下）　中国历史研究会　范文澜 / 主编

《论文学的工农兵方向——读〈在延安文艺座谈会上的讲话〉》　雪苇 / 著

《中国近代史（上编　第一分册）》　武波 / 编著

《文学百题》　傅东华 / 编

《中国史学之进化》　周谷城 / 著

《论民族形式问题》　胡风 / 著

《论批评》　荃麟等 / 著

《中国史纲》（第一卷上下、第二卷上下）　翦伯赞 / 著

《近代中国思想学说史》（1–4）　侯外庐 / 著

《中国政治思想史》(上下)　吕振羽 / 著

《中国哲学史纲要》　向林冰 / 著

《中国政治史讲话》　钱亦石 / 著

《中国社会经济史纲》　王渔邨 / 著

《新财政学大纲》　千家驹 / 著

《太平天国革命运动论文集——金田起义百周年纪念》

华北大学历史研究室 / 编

《理性与自由——文化思想批评论文集》　胡绳 / 著

《战斗者的诗人》　黄药眠 / 著

《国语文法》　曹朴 / 著

《教育哲学》　张栗原 / 著

《妇女问题讲话》　杜君慧 / 著

《婚姻·子女·继承》　沙千里 / 著

《性教育新论》　布士克　雅各生合著 / 董秋斯译

《狱中杂感》　杜重远 / 著

《七人之狱》　沙千里 / 著

《爱迪生传》　伍况甫 / 译

《歌德自传》(上下)　歌德著 / 思慕译

《尼赫鲁自传》　[印度] 尼赫鲁著 / 毕来译

《列宁传》　[苏] 凯尔任采夫著 / 企程　朔望译

《罗斯福总统传》　C. Mackenzie 著 / 张尚之译

《托尔斯泰传》(1–3)　[英] 阿尔麦·莫德著 / 徐迟译

《革命文豪高尔基》　［美］亚历山大 · 康恩著 / 韬奋编译

《鲁迅纪念特辑》　新中国文艺社 / 编

《回忆鲁迅先生》　萧红 / 著

《人民文豪鲁迅》　平心 / 著

《亡友鲁迅印象记》　许寿裳 / 著

《鲁迅思想研究》　何干之 / 著

《鲁迅研究》　夏征农 / 编

《过来的时代：鲁迅论及其他》　雪峰 / 著

《电影戏剧表演术》　洪深 / 著

《日常心理漫谈》　［美］约瑟夫·查斯特罗著 / 曾宝施译

《心理常识漫话》　朱智贤　杨云美 / 著

《读书的方法与经验》　王任叔 / 著

《美国黑人生活纪实》　［美］加德维尔　斯坦倍克著 / 董秋斯译

《初访美国》　费孝通 / 著

《事业与成功》　［美］马尔腾著 / 汪原放译

《萍踪寄语（初集）》　韬奋 / 著

《一生的幸福前途——〈生活周刊〉信箱选集》　生活书店 / 编选

《深刻的印象》　生活周刊社 / 编

《海外的感受》　生活书店编译所 / 编

ISBN 978-7-108-04602-4

9 787108 046024 >

定价：22.00元